WAC BUNKO

われ、正気か！

橋本琴絵

WAC

はじめに　日本人よ、怒りを知れ！

いま、日本は存立の危機に瀕しとるんじゃ——。

唐突な広島弁じゃが、X（旧ツイッター）でわしの故郷の言葉、広島弁を使って熱く憂国の檄《げき》を飛ばしたところ、ちょっと人気を博したけぇ。で、編集部から面白いとおだてられ、このたび、刊行とあいなった。

本書でも冒頭から広島弁で語らせてもらう。決してふざけているわけではないけのぅ、それほど、いま日本が本当に危ない状況にあるんじゃ。

それはな、アメリカの年額国防予算に匹敵する社会保障費による国家財政の圧迫だけではないんじゃ。過《あやま》った歴史認識となり、外交の無策を根にした国家観の根本的欠如がヒシヒシとこの国を侵し続けていることなんじゃよ。

過《あやま》った歴史認識は国民の国家観を汚辱《おじょく》してな、主権者の地位にありながら国策への無関心と無批判をもたらしたんじゃ。これでは腐敗は進む一方じゃ。

この腐敗を基礎とした外交方針はな、ワシらの安全そのものを脅《おびや》かしつつある。そして、その危機をワシら主権者は認識さえできなくなっているんじゃ。〝国家とは何か〟を理解する機会を逸したためじゃよ。

これではイカンのじゃ！

そこでのぉ、保守言論界はいままで戦後79年ものあいだ、弛《たゆ》みない努力を続けてな、あらゆる啓蒙をしてきたんじゃ。中には突出した才能によって多くの国民の共感を得た例もあったんじゃが、それも過去の話で、いわゆるZ世代と呼ばれる若者層にはもう全く届いてないんじゃ。

このままだと、じき日本は終わるぞ。「憲法改正を見るまで死ねん」という人生の先輩方の思いを無碍《むげ》にすることはワシにはできん。

それを象徴するデータがある。世界価値観調査（2020年度）によるとな、「もし戦争が起きたならば国のために戦うか」という問いに対し、「はい」と答えた日本人はわずか13・2％であり、その他は「いいえ」（48・6％）、または「わからない」（38・1％）であったんじゃよ。こんな最低な国、ほかにあるか！　アメリカもイギリスもな、約6割の国民が国家への献身を表明しょぉるのに、日本はこの有り様じゃ。

これはな、G7各国中最低であるだけでないんじゃ。世界最低の数値なんじゃ。

全て、戦後民主主義教育がもたらしたものじゃとワシは思う。

国をなくしてな、どうして医療や福祉があると思えるんじゃ。国防を疎《おろそ》かにして、なぜに人権があると思えるんじゃ。侵略者がな、一般人の人権を守る、という論理的思考の欠如と現実逃避は、最悪の未来を我が国にもたらすことが目に見えとる。

多くの日本人はの、侵略者が一般人に対して人権ではなく銃弾を浴びせることや、現状、最新型の核ミサイルで攻撃された場合に、防衛する技術自体が我が国に存在しないという数々の不都合な現実を知らないんじゃよ。

でもな、ちょっと待ってな。全く希望がないわけではないんじゃ。それは、国のために戦うか、との問いに対して、4割弱の国民が「わからない」と回答したことを見てみんさい。前述の調査によるとな、世界最多の割合でもあるんじゃよ。

ワシはここに希望を見出したんじゃ。なぜなら、言い換えると、正しい情報と認識さえ具備すれば、正常化する期待がそこに潜在しているからじゃ！

そこでのぉ、何が最も伝わる言い方なのか、よく考えてみたんじゃよ。

結論として、それは詩《うた》じゃ。

例えば、日本がどうやって生まれたかという話はな、論文でもなければ説話でもないぞ。古事記という詩がふんだんに含まれたエピソードの数々を一人の女性が暗記していて、それを書き起こしたものが現代まで伝わっているんじゃ。

詩とはな、人の感情に直接訴えるもんじゃ。そして、感情とは酸欠や栄養失調で容《た》易《やす》く壊れてしまう知性や理性とは違《ちご》ぉて頑丈じゃ。どんな環境下においても、強くあり続けるぞ。この特性にワシは期待した。数千年にも及ぶ時代の荒波にもかかわらず、沈むことなく浮かび続けた「意志」は詩に込められていたんじゃ。

初代天皇の意志が込められた詩を今も本屋や図書館に行けば普通に読める、なんてことは世界で日本だけなんじゃ。

そう考えた時にな、ワシの気持ちを伝えるには、この日本の危機をみんなに伝えるためには、標準語の論述形式よりもワシの生まれ故郷広島の言葉が一番エエんじゃないかと思ったんじゃ。

ワシが生まれ育ったのは広島県尾道市というところじゃ。観光地にもなっていて歴史あるきれいな街じゃ。そして、ワシの親族らが住み、小さいころからちょいちょい行っていた瀬戸内海の島々や、呉市、三原市、最後にワシが中高を過ごした福山市はやや岡山弁が入り混じっとるんじゃが、みんな「先祖の言葉」である広島弁を話しとる。建前もなくどぎづぃストレートな表現じゃから、思ったことがそのまま伝わるんじゃ。

そこでな、伝統と慣習を規範にしょぉる保守主義の立場から、ワシが〝日本の危機〟を訴えるにあたってな、この言葉を使うことは道理にかなうけえ、かなり向いておるじゃろ。

かの英国宰相チャーチルはな、演説で使う言葉は英国起源のものに限定しておったと言い伝えらておるんじゃ。国難に瀕したときにな、原初の言葉が人の魂に直接響くもんじゃなかろうか。日本でも、やたら音読みの言葉を口語で使う政治家よりもな、訓読みの言葉を選んで使う政治家の方が広く日本人の共感を得ていたんじゃないかとワシ思う。ワシが心の底からが尊敬してやまない安倍晋三元首相もそうじゃったと記憶しとる。

時に広島はのぉ、第2次世界大戦後の転換期を語るにあたり象徴的な街じゃけん。
この本ではな、其処等彼処《そこらかしこ》で核や戦争や歴史の問題を語っとるんじゃけぇ、飾った言葉で論《あげつら》って余裕こいとるときじゃもうないんじゃ。いま、真摯な気持ちでこの国の行く末を国民みんなが論じて、結論を出さなければならない時局にあるんじゃ！
前記までの事情からな、この本の表現技法に貴重なご理解を賜ったものとして、本編に進む。これは広島弁による怒りの詩々《うたうた》じゃけぇ。

いまの世の中、あまりにも許せないことが多いんじゃ。

「われ、正気か！」

と言いたくなることばかりじゃ。

はじめに　日本人よ、怒りを知れ！

諸外国では夫婦別姓だからとかな、同性婚が法制化しているからというとる割には、諸外国では当たり前のスパイ防止法や国防軍が、いまだにないのはどういうことじゃ？

問題の本質はな、こんな不合理な比較自体にあるというよりは、裁判官や政治家など高官にあたる者らが「不合理なことを言い放っても主権者から批判されないと思っている」という認識自体にあるわけじゃ。要するに日本人は心底、舐《な》められとるんじゃ。侮蔑《ぶべつ》の先に待っとるのは、歴史が示す通り、徹底的な搾取《さくしゅ》と苛烈《かれつ》な差別じゃ。

そうなってからでは遅い！

日本人よ、怒りを知れ。

令和6年1月

橋本琴絵

われ、正気か！

◉目次

2章　中国・韓国にバカにされん日本にしような！

3章　海外の意見にへーこらしてどうする！

4章 岸田さん、頼むから強い日本にしてくれよ！

装幀／須川貴弘（ＷＡＣ装幀室）

1章

きな臭い時代に突入した！

——戦争に負けない国をつくろな！

勝手に自分の土地だと言われても困るじゃろ！

イスラエル・ハマス戦争が続いておるな。

ところで、ワシ、びっくりしたんだけどな、「パレスチナ」と「イスラエル」ならば、どちらが先にできたかという話でな、多くの人が「パレスチナ」と思っとるようなんじゃ。

イスラエル国は1948年からあるが、パレスチナ国は1988年からじゃ。

これ完全にマスコミに洗脳されとるようじゃから、ワシが歴史を解説するけぇ、みんな是非読んでな。

まず、「パレスチナ」という名前はな、イギリスがつけたもんじゃ。

つまり、イギリスがあのあたりを支配するまで、パレスチナという名称も概念も存在しなかったんじゃな（マーク・サイクスというイギリス人男爵が名付け親じゃ）。

こう書くとな、「いやいや、2000年前はローマ帝国内でパレスチナと呼ばれていた時期も」と言う人もおるが、2000年前を言い出したら「昔はイスラエルだった」と同じレベルの話じゃな。

まず、あのあたりはいろんな王朝や帝国の領土だった。で、十字軍が攻めてエルサレム王国をつくったり、マムルーク朝が支配したりして、オスマン帝国の領土になったわけじゃ。このオスマン帝国が第1次世界大戦に負けて、あのあたりがイギリスに割譲されたわけじゃ。

ちなみに、このとき日本も戦争に勝ったので、「南洋諸島」といってサイパン島からパラオ諸島まで広範囲な海域をゲットして委任統治領になったんじゃ。「南洋庁」という専門官庁もできたんじゃ。だからパラオはいまも日本語由来の言葉がたくさん使われておるわけじゃな。

でな、いまのイラクあたりもイギリス委任統治領メソポタミア、という名前になってな、なんか古めかしい名前がカッコいいな！　ということになり、インテリの貴族が「新しくゲットした領土の名前はイギリス委任統治領パレスチナという名前にしようぜ！」と言い出し、パレスチナになったんじゃ。

日本も「南洋諸島」と新しい日本語の名称にしたじゃろ。あれと同じノリじゃ。

そしてイギリスはな、オスマン帝国を攻撃してくれたらこの領土をアラブ人にあげる、と約束してたんじゃがな、ユダヤ人にもあげると約束して、「ハガナー」というユダヤ人入植者をたくさん入れたんじゃ。

アラブ人は怒った！　嘘つき！　とな。

そこでイギリスは、イラクとヨルダンも委任統治領だったため、怒ったアラブ人2人を王様にして、兄弟で王様になったんじゃ。弟はイラク王、兄はヨルダン王じゃ。

イラクはうまくいかなくて王様がいなくなってしまったが、ヨルダンはうまくいき、いまも王様がいるじゃろ。もちろんいまのヨルダン王はこのときの曾孫じゃ。

これでみんな納得したわけじゃな！

そしてイギリス領パレスチナは第2次世界大戦が終わると、1948年に独立してイスラエルが建国されたわけじゃ。でも、やっぱり異教徒の国が近くにできると不安じゃからな。第1次中東戦争が起きて、いまに至るわけじゃ。

つまり、「パレスチナ」という名前や概念自体、イギリス製というのが大きなポイントじゃ。

日本も2万年以上前から人が住んでいたことは知られておるじゃろ。そこで、人が住んでいたから2万年前から日本国はありました、とか言うヤツがいたらどう思う？

かなりやばいヤツじゃろ。

ここでな、「土地は誰のものか?」ということを考えるにあたってな、「法律上の権利」か「占有」か、という話で、おどれらはどちらを支持するんじゃ、ということなんじゃ。

これはな、いまも「日本の朝鮮支配」にゴタゴタ言っとるヤツとメンタリティが同じなんじゃよ。

パレスチナは16世紀以降、長くオスマン帝国領土だった。

でも戦争に負けてセーヴル条約（１９２０年）・ローザンヌ条約（１９２３年）をオスマン帝国が締結したから、パレスチナはイギリス領になり、そのイギリスがユダヤ人らに土地を譲渡したんじゃ。

文句言ってたヤツらもヨルダンとイラクをもらい溜飲を下げたんじゃ。

日本もな、大韓帝国と日韓併合条約（１９１０年）を締結し、朝鮮半島が日本領となり、台湾は下関条約（１８９５年）で日本領、南樺太《からふと》はポーツマス条約（１９０５年）で日本領じゃ。そのあとサンフランシスコ平和条約（１９５１年）で領土ではなくなったんじゃ。

これは法律を守るか、否かという話なんじゃ。

われがな、家建てるため土地を買って登記したら現地でホームレスみたいなおっさんがテント張っててな、昔からここに住んでると言い張られてな、住民税も固定資産税も払ってないのにな、それでな「じゃあ仕方ないですね。あなたの土地です」となるんか？　絶対に裁判所に訴えて強制執行して追い出したりしないと言えるか？　イスラエルはそれで「じゃあ一緒に住みましょう」としたんじゃ。優しくないか？　水と電気まであげて。

そしたらなんか自治会みたいのつくられてな、あげく子どもまで殺されたんじゃ。

ワシはな、法律を無視する考え方は良くないと思うんじゃ。

文明人なら何を支持すべきか。それをよく考えてほしいんじゃ。ワシの考え、伝わったかの？

結局な、法律は目に見えないが、土地の占有は目に見えるじゃろ。いま日本でも「落ちていた自転車を持って帰ったら逮捕された。警察はおかしい」とか言うのがおるように、「海にいた伊勢海老をとったら逮捕された。おかしい」とか目に見える情報が全ての種族と、法律が前提の種族はわかり合えないんじゃ。

なぜハマスを非難しないんじゃ!?

前回の話の続きじゃ。

まずハマスは「パレスチナ国」の国会の与党じゃ。2006年の総選挙で全132議席中74議席を占める最大与党じゃが、それでも「政権」ではないんじゃ。

ワシらは選挙で決まったら納得するじゃろうが、パレスチナの人々は納得せず、2006年総選挙の翌年の2007年からガザ地区では「74議席のハマス」と「45議席のファタハ」という政党同士が殺し合いを始め、ハマスが勝ったんじゃ。

ここからハマス党はガザ地区を支配し、ファタハ党はヨルダン川西岸地区を支配し、ガザ地区はハマスに奪われたけど、ファタハ党の党首のアッバスさんがパレスチナ大統領になったんじゃ。

アッバスさんは即位礼正殿の儀にも招かれたんじゃけ、日本はパレスチナを国として承認していないものの連絡事務所を置いてるんじゃ。

つまり分かりやすく例えると、国政政党の日本共産党が武装蜂起して四国あたりを占拠して暴れ回ってる感じじゃな。

パレスチナ国は2014年にジュネーブ四条約に加盟しとるから戦争したら捕虜になる権利があるんじゃけ、ハマスにはない。これは日本がジュネーブ四条約に加盟したからといって、仮に武装蜂起した日本共産党員には捕虜になる資格がない理屈と同じじゃ。ここまでが背景じゃ。

で今回の戦争はなんで起きたかというと、アメリカ民主党がイランに60億ドルの資金をあげたら、それがそのままハマスに流れ軍資金になったという話と、イスラエルとサウジアラビアが国交回復するのがハマスから見て気に食わんという2つの見方があるんじゃ。

じゃけぇ、ハマスは電話やメールを一切使わずアナログ方式で連絡を取り合いイスラエルの目を潜《くぐ》り、今回グライダーなどでガザ地区からイスラエルに侵入し、音楽祭を楽しんでいた女の子や、集団農場の住民（子どもを含む）を殺したんじゃ。ギギギギギギ。

ファタハ党のパレスチナ大統領はガザ地区の住民にハマス追放を呼びかけた。まあ日本でも政党が違えば仲が悪いのと同じじゃ。

サウジアラビア皇太子もパレスチナ大統領に電話して改めてハマス党ではなくファタハ党のパレスチナ大統領を支持すると発表したんじゃ。

以上の経緯を考えるとな、当初、岸田首相がハマスを非難しなかったのはおかしいんじゃ。テロ容認とも取れる姿勢は日本の立場を悪くするんじゃ。

テロリストに騙されたらいけんのう!

これからワシがの、ハマス・イスラエル戦争について「パレスチナの人々が〜」とか「イスラム教の人々が〜」とか言って「日本は中立」とか発言しとるヤツは、マスコミの垂れ流しを鵜呑みにしただけじゃし、このままじゃ危ないんじゃ、ということを語ろう。

まずのぉ、今回はハマスという政治団体が単独でイスラエル人と、そこにいたたくさんの外国人を殺傷して拉致した事件を取り上げるぞ。

被害者の中にはイスラエルの幼児たちはもちろん、アメリカ人14人やイタリア人の生後6カ月の赤ちゃんもいたけぇ、世界は大騒ぎじゃ。

ここで悪玉、ハマスとは何かを改めて説明するぞ。

ハマスは政治団体じゃ。日本の交番にも国際指名手配のなんちゃらとかいう写真が6枚くらい貼ってあるじゃろ。あの類じゃ。

1974年8月に東京・丸の内にあった三菱重工本社ビルを爆破して376人のエリートサラリーマンを殺傷した事件が日本でもあったけぇ、ハマスもああゆうことをする政治団体じゃ。いまでもたまに防衛省敷地内に手製迫撃砲弾を撃ち込んで、公安警察から捜査されてる政治団体があるじゃろ。あれの規模のでかいもんじゃ。

日本でも国政政党の共産党が警察官を襲って殺した事件とか起こしとるじゃろ。つまりは、ああゆうやつじゃの。

ハマス党は1987年に設立され、いろいろあり、ファタハ党のアッバスさんが当選して大統領になったんじゃ。つまり、パレスチナの人々はハマスをパレスチナ代表に選ばなかった、ということじゃな。

そうしたらの、前述したように、ハマス党はガザ地区で選挙相手だったファタハ党員と、その支持者を殺しまくったんじゃ。これが2007年じゃ。パレスチナのアッバス大統領は、ガザ地区の人々にハマス党の追放を呼びかけているくらいじゃ。

それでハマスがイスラエルに越境攻撃をして民間人と外国人を殺したんじゃ。歴史的経緯は関係ない。歴史が理由ならパレスチナ全体が武装蜂起するじゃろ。しかし、そうではないことに注意が必要じゃ。

幸い日本人被害者は確認されてないがな、想像してみぃ。日本人の1歳児があんなわけわからんヤツらに連れ去られ生死不明になったら、世の人々はどう思う？　いまそんな感じじゃ。

中にはイスラエルのおばあちゃんの介護士だったタイ人女性まで残酷に殺しとる。じゃけぇ、そんな中で「日本は中立」とかバカ言ってたらどうなるかわかるじゃろ。

ギギギギギギ。

サウジアラビア皇太子が今回の事件後にな、パレスチナのアッバス大統領に電話してな、パレスチナ大統領＝ファタハ党を支持すると言ったんじゃ。一応ハマスはパレスチナ議会に議席を持っとるが、あんな状態じゃ総選挙もできんわけじゃ。

つまり、ハマスは一部の人々が各地で私的に支持しておるが、パレスチナを代表しない、イスラム諸国と連携していない、ただのテロ集団というわけじゃ。これはテロとの戦いであって、パレスチナやイスラム教との戦いではないんじゃ。

それをな、ＴＢＳとかがまるでハマスがパレスチナ代表みたいな嘘を垂れ流し、みんなを騙そうと全面戦争を煽ってな、あげく自爆テロのやり方をパレスチナ・ゲリラに教えた日本のテロリスト集団創設メンバーの娘をテレビに出して、駐日イスラエル大使から「正気か？」と怒られたわけじゃ。

これを読んどる方は絶対騙されてはいかんのじゃ。

ハマスはパレスチナの代表ではない。イスラム教の代表でもない。

じゃけぇ、北朝鮮の拉致事件に「中立です」とか言う国がおったら、おどりゃどう思う？　何も悪いことをしとらん13歳の女の子がいきなり拉致されたというのにのぅ、悲しいじゃろ。そういうことじゃな。

個人的なことじゃが、ワシはイギリスの国立大学院に進学して、そこにいたユダヤ教徒ともイスラム教徒とも机を並べて学び、同じ釜のピザを食い、仲良くなっておる。まともな人はな、イスラム教徒だろうがユダヤ教徒だろうが暴力とテロには反対しとる。賛同しているのは一部の異常者だけじゃ。日本のマスコミにもおるようにな。岸田首相の非難声明発表が諸外国に比べて思いきり遅れたのは、ハマスをパレスチナやイスラムの代表だと勘違いしたからじゃ。

むしろな、あんな最悪の暴力を振うのがイスラムの代表だと思うことこそ差別なんじゃ。じゃけぇ、いま世界が団結してテロを絶対に許さないという強い決意が必要なんじゃ。国連憲章第51条で認められたイスラエルの自衛権を否定してはならんのじゃ。人工衛星から確認されたように、ガザ地区の罪なき人々の避難を妨害して人間の壁をつくり、被害を拡大させとるのはテロリスト側なんじゃ。じゃから騙されず、ちゃんとしてくれな。

日本の姿勢はあまりに恥じゃ!

パレスチナ戦線を理解していない日本人が大勢いる。

2つの国連安保理事会決議案が出た。最初はロシア案で、これはハマスのテロをさもなかったかのような論外の中身じゃったから日本も反対して否決した。

次のブラジル案はハマスのテロに言及したところは良かったんじゃが……。イスラエルの自衛権の行使について曖昧で、これだと①拉致された人質の救出作戦も「停戦」に含まれてしまう恐れがあり、②ハマスがそもそも国連決議に従って人質解放をする保障がないっちゅうことでアメリカが反対票を出し、イギリスは棄権した。なのに、日本はあれほどLGBT理解増進法で欧米と人権問題の歩調を揃えるとうそぶいていたくせに、米英を裏切り賛成票を出したんじゃ。まあ結局否決されたがな。国際協調もできないとはとんでもない政権じゃ。人質にされた女子供の人権を無視した日本の姿勢は恥じゃと思う。

そもそもな、パレスチナの人々が全員イスラエルを憎んでいるならば、なぜ、ヨルダン川西岸地区とガザ地区という2つの領域があり、歴史を共有していながら、ガザ地区からだけの攻撃なんじゃ？ ということに気づかなければいかん。矛盾じゃろ。

ワシはな、パレスチナ国が一丸となってイスラエルに総攻撃をかけ、男らしく正々堂々と戦うなら、日本は中立を宣言して両者に粉ミルクや医薬品を送るべきだと思うんじゃ。だが、違うじゃろ。ガザだけじゃ。

しかもイスラエルのように軍事施設を狙ったにもかかわらず、人間の盾にされた子どもが巻き添えになるのではなく、ハマスは子ども自体を狙った。テロなんじゃ、これは。

ところでワシの愛読書にな、貴島テル子という90歳過ぎたバアサマの書いた『75年目のラブレター』（朝日新聞出版）ちゅう本があるんじゃ。

この婆様は新婚の夫を海軍パイロットとして南の海の空戦で亡くした。でも、いまも夫を愛していて夫の苗字を75年以上名乗り、戦死した海に行き花束を投げるんじゃ。

なぜならばな、

「私の夫は男と男同士で正々堂々と戦い死んだのです。悔いはないです」

と書いてあるんじゃ。

比較するのもアレじゃが、いまのガザなんかより硫黄島の戦いの方が悲惨じゃ。

日本陸軍は10倍兵力があるアメリカ海兵隊と戦い、2万7000人以上を殺傷したんじゃ。男同士、正々堂々と戦ってな。

それに比べてハマスは何じゃ。敵の子どもを標的にし、自分たちの子どもを人間の盾にし、あげく避難経路に大型車両を置いて女や子どもが逃げられないようにしとる。衛星写真を撮られておるぞ。

そんな奴らへの自衛権の行使（人質奪還作戦含む）が、なぜ制限されなければならんのじゃ。ハマスがさもイスラム教徒を代表しとるかのように石油が止まるなど言うとるヤツらはな、イスラム教を差別しとるんじゃ。イスラム教はそんな教理ではない。

テロを許すな。そんな簡単な理屈もわからんドグサレメガネはな、ええ加減にせい！

これがワシの思いじゃ。

靖國神社には何の後ろめたいことも、何の負い目もなく、正々堂々と男らしく戦って死んだ魂が祀《まつ》られておる。これを戦争と言うんじゃ。ただ、現実にパレスチナやイスラエルの人々が死んどることは事実じゃ。ワシは亡くなられた方々のために祈る。みんなも祈ってくれな。

卑怯な戦いに負けてはいけん！

ガザ地区の住民がな、「アメリカよ、ハマスを追い出してくれ」と命を賭けて叫んでいる様子が撮影された。

それもそのはず、ハマスは一般市民、しかも子どもや赤ちゃんを空爆の盾にしてな、民間人が避難する経路も封鎖してな、病院で使う燃料さえ、あるのに供給しようとせん。全部衛星写真で悪行がバレておるんじゃ。

日本には「民間人を戦闘に使う」という意味の深刻性をよく理解しとらん人がおるから説明するとな、軍隊が軍服を着る理由は、格好良いからではない。「自分らは一般市民とは違う」と「敵」に識別させるために着ているんじゃ。もしも、パジャマで戦争をしたらな、パジャマを着ている人が全員戦闘員に見えるからじゃ。

すると、パジャマを着ている人が全員攻撃目標になってしまうじゃろ。

そんなバカなことあるかいな、と思った人がおるかもしれないが、これは実際にあったことなんじゃ。

日本も経験しとる。みんな忘れてしまったがな。

1937年7月に日本と蔣介石率いる政治団体との戦闘が始まるとな、「便衣兵《べんいへい》」といって、パジャマを着た妊婦や子どもが、銃や手榴弾を隠し持って、日本人に襲いかかってきたんじゃ。

日本人はまさかパジャマ（寝巻き）を着ている女性が敵の兵士とは思わないので、ボーッとしているとな、すれ違いざまに撃たれて殺されてしまったわけじゃ。

すると生存者の目撃情報から、「敵は寝巻きを着ていた」という報告があがるじゃろ？

で、以後「寝巻き（パジャマ）は敵」という情報がシェアされて、無関係のパジャマの人が攻撃されるわけじゃ。じゃから、ジュネーブ条約でも、軍人だと遠くから見てわかる格好をしていないのに戦闘に参加したら、捕虜になる資格はないと定めているんじゃ。民間人に被害が出た責任は全て敵側にある、というわけじゃな。

同じ戦術は、ベトナム戦争でも採用された。パジャマ姿で油断させて、アメリカ兵や韓国兵が近づいたら一斉射撃じゃ。

ベトナム戦争ではライダイハンといって韓国兵とベトナム女性のハーフがたくさん生まれたから、なんか韓国軍がすごい攻撃をしたように思われるかもしれないが、敵がパジャマで攻撃してきたから、以後パジャマ姿の人を攻撃するのが戦闘の一般原則を守っただけじゃ。性的暴行をしたのは、どうせ撃つくらいなら……という別の思惑じゃがな。

アメリカ兵はベトナム戦争で誰が敵なのかわからなくなり、ストレスで恐慌をきたし、以後ＰＴＳＤ（心的外傷後ストレス障害）の病理概念が完成したくらいじゃ。

ところでハマスは軍服デザインを公表しとるかの？

ハマス戦闘員は遠くからでもハマスだとわかる服装をしているかの?

それが客観的事実じゃ。何がイスラエルの国際法違反じゃ。

軍服を着ていないまま普段着で戦闘をしたならば、普段着を着ておる者全員が戦闘員になってしまうんじゃ。区別がつかんからな!

いまイスラエルが小さなガザ地区で反撃しているのは、日本が広大な中国大陸で戦ったことと同じじゃ。

最初に民間人の女性や赤ちゃんが残酷に殺されてな〈日本の場合は通州事件〈1937年〉という〉、報道されて世論が激怒してな、戦争になったらパジャマ姿で戦闘をしてな、民間人に被害が出たと騒ぎ立てる。

一緒なんじゃ!　でも、民間人を虐待しているのはな!　民間人と同じ格好で戦闘をした奴らじゃ!

東京九段にある靖國神社にはな、敵から卑怯《ひきょう》な戦い方をされ、命を落とされた大勢の方々の魂が祀られておる。

ワシは実際に戦いにいった方々の証言をよく読んだ。

一般民衆がな、日本の兵隊さんに助けを求めるんじゃ。虐待され、人間の盾に子どもを取られたから、どうか助けてくれと。でも実際に戦闘が始まると、子どもが前にいて、弾を撃てば子どもにあたる。

しかし、こちらが撃たなければこちらが死んでしまう。向こうは撃ってくるからな。泣く泣く戦い、心に傷を負った日本人が昔は大勢いたんじゃ。そうした歴史を忘れてはいかんのじゃ。それをわかるのが理性であり、知性だとワシは思う。

くれぐれも、テロの味方をしてはならんぞ。これは日本人だからとかではない。文明人だからだ！

もはや世界大戦が目前に迫っておる！

みんな気になってるじゃろ。世界大戦になるのかって。

答えは「未来はまだ決まっていない。しかし、このままでは世界大戦になる」。

まず、ロシア、中国、北朝鮮、イラク、ハマスはひとつの軸じゃ。

お互いの暴力をお互いで擁護し合い、ハマスが使ったロケット弾の信管にハングル文字が刻印されていたのが見つかっておる。韓国製ではない。

では、なぜ、ハマスがイスラエルをいきなり攻撃したか。

それは「第二戦線」をつくるためじゃ。

じゃあ第一戦線は何か。ウクライナ戦線じゃ。これに第二戦線としてパレスチナ戦線が加わる。そして最後に、第三戦線で台湾沖縄戦線が加わると、世界大戦の開始じゃ。

中国はその用意をしておる。

アメリカ国防総省がな、2022年は中国の核弾頭は400発だったのに、2023年は500発に増えたと報告書を出しておる。

1発ずつ撃つわけではないぞ。同時連続発射じゃ。固形燃料だからすぐ撃てる。

では、なんで3つも戦線をつくるのか。アメリカの対応能力を超えるためじゃ。アメリカにはな、空母打撃群といってすごい艦隊があるんじゃよ。この艦隊から爆撃機が飛んだり、食糧や弾薬を運んだり、兵隊を派遣したりするんじゃ。東日本大震災の時はワシらも世話になったな。それをな、ウクライナ、パレスチナ、台湾沖縄で割ってみい。戦力が3分の1になるじゃろ。サシで喧嘩したら勝てなくても、3分の1にしたら勝てるかもしれんじゃろ。

じゃから、いま必死に火付けしとるんじゃ。歴史的にな、負ける国というのは、必ず戦線が2つ以上あって、疲弊《ひへい》してぶちのめされるんじゃ。

ドイツがそうじゃ。第1次世界大戦も第2世界大戦も、西部戦線と東部戦線があり、戦力をわけて負けた。

日本もそうじゃ。中国戦線と太平洋戦線と2つあり、戦力を半分にして戦って負けたんじゃ。じゃがな、アメリカは半端なく強い。

太平洋戦線とヨーロッパ戦線の2つを相手にして勝ってしまったじゃろ。

じゃから今回、戦線を3つに増やして、カネ・ヒト・モノを3分割させようと敵はしとるわけだ。

じゃあ、どうしたら防げるか。戦線拡大を止めるんじゃ。どうしたら止まる？　簡単じゃ。

ウクライナには核がないから止まらなかった。しかし、イスラエルには核が（たぶん）あるから、国と国との戦いはできない。いまはまだあくまでテロしかできん。

じゃあ日本はどうか。核はないし、北からはロシア、南からは中国と自動的に二方面戦線じゃ。

じゃが、核があったらどうか。

国際法が適用されないテロ組織による攻撃はできても、国と国の戦いは怖くてできん。いまイスラエルが他の国に攻め込まれていないようにな。これで答えがわかったじゃろ。

世界大戦を防ぐには、まずイスラエルが徹底にハマスを叩く。戦線拡大の前にな。ほかが参戦する前に迅速にな。

それを日本は支援するんじゃ。いまアメリカがやってるみたいにな。

そして、日本になくてイスラエルにあるモノを用意する。何かわかるじゃろ。これで戦線をつくらず、威嚇と威嚇の下に平和をつくるんじゃ。

にもかかわらず岸田政権は、中国軍が敷設した軍事用ブイをいまだ撤去せず、指をくわえて見とるだけじゃ。そんなに戦争がしたいのか。

あのな、戦争はイジメのエスカレートなんじゃよ。最初に小突かれたとき、徹底してぶちのめせば、「友達が加勢してくる」、つまり集団的自衛権にはならんのじゃ。

だから戦争を止めるには、イスラエルが素早くハマスを叩き潰し、日本人のワシらが「戦争になったら断固戦う」という気持ちを相手に見せつけなければならんのじゃ。

相手に譲歩したり、小突かれてヘラヘラしていたらイジメはなくなるか？　エスカレートするじゃろ。戦争の歴史も同じじゃ。相手の不正に目をつぶっているから戦争になるんじゃ。

平和主義が戦争をつくるんじゃ。いまこそ日本はな、防衛力を究極的に高めなければならない。意味はわかるじゃろ。

ペコペコ頭を下げてもなんの解決にもならん！

東京のイスラエル大使館を警備する警察官に自動車が突っ込んだ事件があったな。あれ、日本だから車だけじゃが、やろうと思えば肥料の硝酸アンモニウムと燃料を混ぜて爆弾にして、自動車ごと吹っ飛ばすのがテロの常套手段じゃから注意が必要じゃ。ところで、みんな戦争を「やってやるぜ！」と息巻いてやるもんだと勘違いしとるじゃろ。

でもな、戦争というのは「戦争をしないで死ぬ人より戦争をした方が死者が少ない」というときに起きるもんじゃ。

ただ、「死者が出るかも」という算定基準が人それぞれだから理解されない。

例えば、1937年7月に始まった日中事変は、いまのイスラエルとガザの戦いと全く同じように始まった。

まず、女性や子ども、赤ちゃんが猟奇的に殺される。そして世論が怒る。そして、敵は女性や子どもを人間の盾にして軍隊に対抗する。泥沼化する。

ここでの算定基準は「俺たちを皆殺しにすると息巻いとるヤツらを放置したらいずれやられる」という見方じゃ。

実際、ハマスは何千発のロケット弾を人口密集地に撃つ無差別爆撃をし、たまたまイスラエル軍の迎撃が成功したから良かったものの、失敗したら万単位の死傷者が出ていたことは明白じゃ。

だから、殺意を一度示されたならば、殺意がなくなるまで戦争は続く。殺意がなくなるとは死体になるか、殺意はないと意思表示するかのどちらかじゃ。

つまり、相手を放置したら大量に人が死ぬ、ならば戦争をした方が死ぬ人の数は少なくて済む、と判断できる根拠があるとき、戦争が起きるんじゃ。

もちろん、その判断が未来にわたって正しい保障はないが、それは人々に戦争を肯定させる。逆に言えば、戦争を防ぐためには「もし戦争をしたらたくさんの人が死ぬ」

と認識することだ。

単純なことじゃが、そう認識する人が少ないから世界中でドンパチやっているわけじゃ。

では、どうやったら認識するか。

それは恐怖によってのみ実現できる。

昔、ローマ帝国にセネカという偉い人がおってな、「怒りには恐怖を」という言葉を書き残しているんじゃ。

つまり、どんな怒りも恐怖がないから怒るのであり、恐怖があれば怒りはなくなるんじゃ。

じゃから、日本は近隣諸国に謝ってばかりじゃが、日本が謝れば謝るほど怒っておるのは、恐怖がないからじゃな。

そして現代における究極の恐怖といえば、核じゃ。

ロシアはウクライナに核がないのを知っているからやったし、中国は日本の米軍基地に核が「あるかも」と思っているから怖くてまだ手を出してこないが、「ないかもしれない」という思いもあるから、尖閣をウロチョロする。

いいか。平和とは恐怖の上に成り立つのじゃ。これは国家も個人も同じじゃ。

こないだ北海道旭川市で小学生のイタズラから殺人事件（50代の男性が30代の夫婦を殺傷）になったろ。

あれは被告の男に何も失うものがなく、相手が妻と乳幼児連れで怖くなかったからやったんじゃ。

身長190センチ、体重100キロのお友達5人が特殊警棒を持ってご挨拶にうかがったら、ああゆうことは起きん。

どんなに頭がおかしい通り魔でも、ちゃんと弱そうなのを狙っておるだろ。本能でわかっておるんじゃ。

「誰でも良かった」とか言うても、絶対に海兵隊員が警備しとる駐日アメリカ大使館に忍び込んで悪さはしないじゃろ。むしろ猿でも、ゴルフ場でワシのカートからはボールや菓子を盗むが、夫のカートからは絶対に盗みをせん。

猿からみても弱そうな女と、なんかしたら即ゴルフクラブが飛んできて頭かち割られそうなワシの夫の区別がつくんじゃ。

平和は恐怖の上に成り立つ。恐怖がなくなったとき、本当の絶望が訪れる。

おどれら、血の通った人間か！

下種等《げすら》が、「イスラエル側が発表した40人の赤ちゃん殺害はデマです、証拠ありませーん」と言い続けていたからイスラエル政府が実際の赤ちゃんたちのご遺体の写真を公開したじゃないか……。首をナイフで切り刻まれた生後3カ月くらいの赤ちゃんの遺体を……。おどれら血の通った人間か。

ええか。こういうこと言うとな、また変なのが湧いてくるし、理解できるヤツはほんの一握りだからいままで言わなかったがな、イスラエル国防大臣がハマスを「動物並みの人間」と言い放ったことは、2022年度ノーベル医学生理学賞を受賞したスバンテ・ペーボの研究をもとに言っとるんじゃ。スバンテの研究は全人類の全ゲノム解析じゃ。

全ゲノムを解析して、6万年前の中東や欧州などにうじゃうじゃいたネアンデルタールの化石から取り出したゲノムと比較したんじゃ。そうしたら、ほとんどの人類からネアンデルタールの血が出てきたんじゃ。

アジアとオセアニアからはデニソワという旧人の血が出てきたんじゃ。もちろんネアンデルタールの血も出てきたんじゃ。アフリカからはプロトアフリカという化石未発見の旧人の血が出てきたんじゃ。

わかるか。その割合は全体の0・1%から6・75%と、かなり幅があり、X染色体上からも出てきたんじゃ。

ええか。チンパンジー知っとるじゃろ。あれはチンパンジー遺伝子1・5%と、サピエンス遺伝子98・5%の動物なんじゃ。98・5%もヒトの遺伝子持っとるのにチンパンジーには人権ないんじゃ。

ところが、な、ヒト遺伝子の割合が96%以下のくせに人権持っとるヤツらがうじゃうじゃいることをスバンテは発見してノーベル賞もらったんじゃ。わかるか。この意味が。人間なら分かるだろう。

ネアンデルタールなどの旧人にはな、「共感能力」っちゅうもんがないんじゃ。前頭葉を収める頭蓋骨の裏側の血管跡が人間に比べると少ないことからミラーニューロン(他者の行動やその意図を理解する手助けになると考えられている神経細胞のこと)というのが少なくて、共感できないんじゃ。そのくせ模倣という猿真似だけはよくできる。

ムスティエ文化といってな、実務で使えない石器を猿真似してつくったりしてたんじゃ。共感能力がないからな、他人の苦痛がわからんけぇ、被害者の絶望した表情見ても何も思わず赤ちゃんの首にナイフ入れよるんじゃ。強姦できるんじゃ。

そらな、ヒトだってヒトを殺すわ。怒りによってな。憎しみによってな。だが、目の前にして殺そうとすると共感能力が発動して無理になるんじゃ。

だから刑を執行するとき目隠しするんじゃ。こちら側が共感しないように。

だから矢を使うんじゃ。投石するんじゃ。敵の表情が見えないように。

だから刀を使うんじゃ。敵の表情が変わる間もなく一撃で仕留めるように。

だから銃を使うんじゃ。

だから爆撃機を使うんじゃ。

だからミサイルを使うんじゃ。

殺される人の表情が見えず痛みに共感しないように。

にもかかわらず、よく乳幼児たちの首に直接刃物を入れられたな。被害者と対面しながら。ネアンデルタールの子どもの化石には石器で調理された跡がよくあるんじゃ。

ええか、よく聞け。人のかたちしていても人ではない動物がこの世には確かにいる。

遺伝子が目に見えるか？　見えんじゃろ。それをよーく気をつけてな。ガチで人ではない者がこの世にはおる。

戦争に負けたらこんな現実が待っとる！

財務省の神田財務官がウクライナのキーウにいき、日本政府がウクライナの軍事費を支援することを決めた。

アメリカの共和党がウクライナ支援予算を否決し、ＥＵも金がない。すると２０２４年夏頃にはウクライナは金欠となり、ロシアが戦争に勝つ。これで「暴力による国境変更」の成功例が生まれ、中国軍の台湾・沖縄侵攻や、ロシア軍の北海道侵攻を誘発するわけじゃ。

すでに中国軍は「沖縄は歴史的に日本に帰属しない」と公式に発表し、ロシアも「北海道はロシア人であるアイヌの土地」と侵略戦争の前振りをしておる。

アメリカ共和党がウクライナ支援をしたくないのは、仮に第３次世界大戦になっても、アメリカはシカトぶっこけるくらい国力があるし、ＥＵもポーランドという緩衝国がまだあるからな。じゃが、日本は深刻じゃ。最悪、南北二正面作戦で自衛隊の戦力は割かれ、ズタボロにされる可能性がある。世界はいま深刻なんじゃ。

ところでな、日本がウクライナ支援をすると決まったら、「戦争を長引かせれば、より多くのウクライナ人が死んでしまう」とかいう世間知らずのガキが大勢おるんじゃ。こやつらの話の前提には、

「ウクライナの負けで戦争が終わったらウクライナ人は生きていられる」

という妄想がある。

あのな、戦争に負けたら基本的人権は消滅するんじゃ。ウクライナは実際に「ホロドモール」といい、ロシアによって、ナチスのユダヤ人絶滅政策の被害者と同じくらいか、それ以上が殺されている。しかも教科書には出てこない。教科書をつくっている側がロシア大好きな奴らだからじゃ。

でも、日本は戦争に負けたけどアメリカは日本人を絶滅させていないよ？　と思うじゃろ。あれはな、しなかったんじゃなくて、できなかったんじゃ。

日本が戦争に負けても約2500万人の訓練を受けた元将兵がいて、武器も各自の自宅や山の中に隠し持っていたわけじゃ。いまもたまに死んだ爺さんの遺品で銃が出

てきてニュースになるじゃろ。

あれ、もしアメリカの占領政策が酷《ひど》かったら2500万人で武装蜂起するために隠し持っていたやつじゃぞ。アメリカは硫黄島や沖縄の日本兵の戦い振りをみてびびっていたからな。マッカーサー元帥も厚木に降り立ったとき、失禁していた説もあるくらいじゃ。じゃから日本占領は特別じゃ。

じゃあ、硫黄島や沖縄で日本兵の恐ろしさをまだ知らなかったアメリカが、降伏した日本人になにをしていたかというとな、ちょっと刺激の強い話をするぞ。

リンドバーグを知ってるか？　大西洋無着陸横断に成功して有名になった人じゃ。この人は太平洋戦線にいて、日記をつけていた。そこに記されているのは、もう日本兵の捕虜殺しのオンパレードじゃ。飛行機に乗せてわざわざ落としたりな。ほか、日本兵を殺して首を切断して、生首を鍋で煮ると、脳や眼球が溶けて白骨化するじゃろ。それを小学生の娘へのお土産にしたんじゃ。

当時のアメリカの週刊誌の表紙には、日本人の首をもらって嬉しそうにニッコリして御礼の手紙を書く女の子の写真がある。

要するにな、殺しまくったんじゃ。

「生きて虜囚《りょしゅう》の辱《はずかしめ》を受けず、死して罪禍《ざいか》の汚名を残すこと勿《なか》れ」と言って日本兵が降伏しなかったのは、降伏したら解体され、骨ペーパーナイフやロウソク立てになると知っていたからじゃ！

こう言うとな、すぐ日本もアメリカの捕虜虐待をしたというじゃろ。しかしな、よく「バターン死の行進」で捕虜を歩かせ熱射病で死なせたというが、日本兵も横を歩いていたから（しかも捕虜は手ぶらだが日本兵は重い荷物を持ち）、ただの事故じゃし、撃墜されたB29搭乗員を処分したのは、ジュネーブ条約にしたがったまでじゃ。捕虜とは軍隊同士の戦いに参加した者を言い、民間人を狙った者は捕虜にはなれないからな。

しかし、例えば広島県呉市に停泊中の戦艦「榛名《はるな》」を狙ってきたB24搭乗員は、撃墜され捕虜となり、健康なまま戦後アメリカに帰国している。ま、広島捕虜収容所に送られた者は原爆で死んだがな。

このように、「戦争に負けても生きていられる」というのは、勘違いなんじゃ。絶対に騙されないようにな！　国際的な場所では日本人の常識など何の役にも立たん。世界には世界のやり方がある。それを忘れないでな！

2章

中国・韓国にバカにされん日本にしような!

――移民を安易に受け入れるのは本当に危険じゃぞ!

日本と中国は、なんで憎しみ合うんじゃ!?

なぜ日本と中華人民共和国はお互いに憎しみ合うようになったのか。

それはな、現在のパレスチナとイスラエルが憎しみ合っているのと同じじゃ。

「ユダヤ人とアラブ人の両方に土地をあげる」と約束した、イギリスの二枚舌外交が全て悪いように、「ドイツの二枚舌外交」が全て悪いんじゃ。

日本の教科書には書かれていないが、ワシはイギリスの国立大学院の図書館に通っていてな、そこの蔵書には現代日本人の歴史観とは全く違うことが書かれていたんじゃ。

なぜ、日中は激しく憎み合うようになったのか。

それは、中国の沿岸部にある「山東省」という土地を、ドイツが日本にも中華民国にも「あげる」と二枚舌外交をしたからじゃ。

話は第1次世界大戦にさかのぼるぞ。パレスチナ問題と同じようにな。

日本は日英同盟（1902年）を法的根拠に参戦して、日本海軍は地中海のマルタ島沖に艦隊を派遣し、ドイツ軍のUボートの雷撃を受けて59名が戦死し、日本陸軍は山東省の膠州湾《こうしゅうわん》のドイツ軍基地を攻撃した。

日本は戦死傷者を地中海でも山東省でも出したが、ドイツ軍との戦いに勝ち、捕虜にした。この捕虜らを厚遇し、いまも年末にやるベートーヴェンの第9やソーセージを日本に伝えたことは有名じゃよな。敷島製パンもこのときに教わったパン製造技術でつくられた。

さて、第1次世界大戦でドイツが負けると、ヴェルサイユ条約を締結した。この第156条で日本はドイツ領だったパラオ諸島や山東租借地の委任統治権を得た。

でも、中華民国もドイツが負けるちょっと前にドイツに宣戦布告していてな、ヴェルサイユ条約に参加しようと思ったが、山東省租借地を日本に渡されたくないから、調印を拒否した。そして、中華民国単独で、中独平和回復協定条約（1921年）を締結したんじゃ。

日本の教科書にはな、ドイツは、砲弾の原材料となるタングステンという物質が全く採れないから、中国に売ってもらう必要があり、中国は軍隊の近代化に協力してもらった、くらいにしか書いてないが、この条約で「山東省は中国に返還」という二枚舌外交をドイツはかましてくれたんじゃ。

つまり、大日本帝国はヴェルサイユ条約を根拠にして山東省の委任統治権を主張し、中国は中独平和回復協定条約を根拠にして山東省の統治権を主張したわけじゃ。日本の教科書には「パラオ諸島をもらった」としか書いてないじゃろ。日本人を洗脳するために書かれているからな。

つまり、中国は日本に「山東省を返せ！」と言い、日本は「無理！　条約で決まったし、すでに多額の投資をしているから」となり、ドイツの二枚舌外交で、反日感情が高まっていったんじゃ。

そして、中国軍がついに、山東省の日本人民間人を残酷に殺した。やり方は、いまのハマスがイスラエル人を殺したみたいに残酷なやり方じゃ。内臓をあえて引き出したりな。済南《さいなん》事件（１９２８年）という。

当然、日本世論は怒った。そんなわけでお互いに憎しみ合うようになったわけじゃ。

この中独平和回復協定条約はな、日本が１９４０年に日独伊三国条約を締結するまで有効で、この三国条約でやっと破棄され、「山東省は日本に」と法的決着がついたんじゃ。

じゃから、当時の日本はドイツを同盟国なんて思っとらん。むしろ敵国じゃ。中独平和回復協定条約をナチスドイツも継承し、ナチスドイツから将軍を中国に派遣して、中国軍を指揮してたくさんの日本兵を殺傷していたわけじゃからな。

日独伊三国条約の第3条には、明確に「同盟国ではない」と定めた条文がある。これは相互援助であり、同盟（軍事上の義務）は存在しないということじゃ。日本がナチスドイツの同盟国ではなかったといえる最大のイベントが、日本のソ連支援じゃ。

ナチスとソ連が1941年6月から戦争を始めると、アメリカはレンドリース法（アメリカが武器を他国に貸与する際の手続を簡略化させる法律）でソ連支援をした。その支援物質の47・1％が日本の領海、宗谷海峡と対馬海峡をアメリカ輸送艦隊が通過してソ連に届けられた。いまの日本人だけが知らない事実じゃ。

日本がアメリカと戦争になっても、ソ連行きのアメリカ輸送艦隊は日本の領海を航行して良いことになり、攻撃されなかったんじゃ。当時のソ連は武器弾薬軍服ほぼアメリカ製で、中身だけメイドインロシアじゃ。日本軍の協力なしに、ソ連はナチスに勝てなかった。

つまり、日独伊三国条約より日ソ中立条約が大切にされていた、というわけじゃな。

「中立条約以下の同盟条約」なんてあるわけないじゃろ？　これが真実じゃ。日中は仲良くできるならした方がいい。普通の中国人は日本が好きじゃ。しかし、うまくいかない。その溝《みぞ》を埋めるのは歴史認識だとワシは思う。

日本人は中国にバカにされておる！

中華人民共和国はな、「日本に過去侵略された」と主張しておる。しかし、中華人民共和国が建国されたのは１９４９年で、日本が戦争放棄したのは１９４６年じゃ。

おかしいじゃろ？

「そこに人が住んでいたら国や時代は関係なく侵略だ」と言うなら、元《げん》軍が鎌倉時代の日本を侵略した中国こそ侵略国家じゃろ。

こう言うとな、中華人民共和国側はこう言うんじゃ。

「中華人民共和国の前身である中国共産党は、中華民国の国民党と合作し、国共合作していたから、中華民国を侵略した日本は中華人民共和国を侵略したことになる」

ほーっ、それなら、その中華民国の国民党はナチス党とも合作し、中独合作といって、ナチスドイツの軍人が国民党の党兵「国民革命軍」を訓練し、ナチスドイツ製の兵器を供給し、兵士全員にナチスドイツの軍服を着せ、ナチスドイツの軍人が指揮して、日本陸軍と戦っていたよな！

つまり、

「日本は１９３７年７月から中国大陸でナチスと戦っていた。日華事変は、非ナチ化をする特別軍事作戦だ」

ということになるな。まさか、ナチスドイツの軍人と同じ格好をして、挨拶も右手を高く突き出す「ハイルヒトラー！」と同じ方式を採用していながら、「ナチスではありません」と言うなら、いまいる全世界のネオナチはみんなナチスではないことになってしまうな。

この「中独合作」は結構知らない人がいるんじゃ。日本陸軍が中国大陸で戦争をしていたことはみんな知っているが、じゃあ戦争をしていた相手が誰でどんな格好をしていたかまでは知られていない。意図的に隠されているからな。

敵はナチスドイツと同じ格好の奴らじゃ。上海の戦いでは、ナチスドイツのファルケンハウゼン将軍（１８７８年～１９６６年）が指揮をとり、実際に日本陸軍と戦争をして、日本陸軍は大量の戦死傷者を出しているぞ。

それで日本陸軍は困った。いくら日独防共協定があるといっても、これは日スペイン防共協定や日ハンガリー防共協定など、いろんな国と多国籍で協定したものだからじゃ。あえてドイツと日本だけで締結したみたいな嘘が教科書に書かれているのは、現代人のワシらに、まるで日本とドイツが特別な関係だったと勘違いさせるようにしているんじゃ。

1937年7月に始まった日華事変で、ナチス相手に戦闘を重ねていた日本陸軍は困り果ててな、ついに軍事力ではなく外交力で1940年10月に日独伊条約を締結し、外交で中国大陸からナチスを追い出したわけじゃ。3年かかったわけじゃな。

よく、「日独伊三国軍事同盟」というが、これは嘘じゃ。正しくは「日独伊三国相互援助条約」という。なぜならば、この条約は「軍事同盟」を結ぶものではないと明確に条文で否定しているからじゃ。あくまで相互援助。

じゃから、潜水艦で横浜港とロリアン港やブレスト港を往復し、日本の酸素魚雷とドイツのジェットエンジンなどの技術を交換した程度じゃ。もし相互援助が「同盟」なら、アメリカと中華人民共和国も同盟国になる！

バカにされているんじゃよ。日本人は。

なお、日英同盟（1902年）には、明確に「同盟」と条約条文に書かれているし、現在の日米安保も明確に「防衛義務」が定められておる。しかし、日独伊三国相互援助条約には、そんな軍事上の義務は書かれていないんじゃ。じゃから、ナチスドイツとソ連が戦争しても日本は日ソ中立条約を維持したわけじゃ。

つまり中国は、大日本帝国は「ナチスの仲間だった」という印象操作をして、ワシらを洗脳しようとしているわけじゃ。

ナチスだったのは中国じゃ！

これは歴史的事実じゃ。じゃから、いまも台湾（中華民国）では、「総統」というし、総統へ右手を高く突き出して「ジークハイル！」と慣習的にやっておる。2024年1月現在も！

この話にはな、「中華人民共和国を日本が侵略した」と、これ以上言わせてはいけない重大な理由があるんじゃ。

これを認めてしまうと、「じゃあ今度は中国が日本を侵略してもいいよな」という話になるからな、必ず。大義名分を与えてはならない。

かつて南京では大量の民間人が殺されたが、これはナチス国民革命軍がしたことであり、日本軍は南京市民を守っていたんじゃ。そういう歴史観を強く持っていかなければならない。

いま、台湾（中華民国）は日本の助けを必要としている時期だからな。この歴史を認めさせる必要がある。南京で悪さをしたのはお前らだと自白させるべきなんじゃ。歴史観は我が国の安全保障であり、防衛政策じゃ！　国際社会では強い意志で主張することに意味がある！　自分たちに有利か否かで判断する必要がある！　それを日本人は学ばなければならないのじゃ！

中国でジェノサイド予告動画が大流行りじゃと!?

日本国内では柴犬や子猫の癒《いや》し動画が大人気じゃが、中国内では「東風41型核ミサイル7発で日本人を地上から消し去ることができる」というジェノサイド予告動画が大人気じゃ。

なぜこんな現象が起きるのかというと、２０１０年2月26日、中国は「国防動員法」

という法律を施行したからなんじゃ。この法律はな、中華人民共和国の国籍保持者（公民）に対して、戦争をするときの義務を定めたものなんじゃ。

一般的な戦争慣例ではな、兵士と非戦闘員を区別をするんじゃが、この法律は「一般人」が「兵士」となって、有事の際には日本人を殺害する法律上の義務を定めているんじゃ。未成年者や障害者や老人を除く健康な成人すべてがな！！！

そこで、国会でもたびたび議題に上げられたんじゃ。

２０１１年2月3日、第１７７回通常国会で自民党の山谷えり子議員がな、「国防動員法が日本に在住する中国人に適用されると分析しているのか」「国防動員法第49条に該当する日本在住の中国人が何人いるのか」と質問したらな、日本政府は「知らんな」との趣旨を回答し、さらに、同法に該当する在日中国人の人数については「男性は25万78人、女性は35万２２７４人」と回答したんじゃ。

それから10年以上が経ち、在日中国人の人口はすでに全国の警察官29万人と自衛官25万人を足した数よりも多いぞ。マンションの一室や、どこかの倉庫に機関銃や爆弾が大量に備蓄されていても日本政府はそれを把握する手段がない。

外国人によって購入され、政府がその用途実態を把握していない土地や家屋が現在、日本国内に無数にあるのが現状なんじゃよ。

なんせ、北九州の工藤会がＲＰＧ（ロシア製ロケットランチャー）や自動小銃を密輸していた事件があるからな。ヤクザの組織力で密輸できたものが、人民解放軍の組織力で密輸できないというのは無理があるじゃろ。テロリストが走行中の満員電車や新幹線にＲＰＧを１発撃ったらどうなるか想像できるか？

羽田空港に離着陸するジャンボ機を狙って、テロリストが機関砲を撃ったらどうなるか。ついこないだも、日本国内に中国軍の秘密警察署があり、警察活動していたことが大問題になったばかりじゃ。これって平和で安全な状態か？

しかもな、２０１５年８月26日、第１８９回通常国会で自民党の高橋克法《かつのり》議員が、

「どのような狙いから国防動員法の整備を図ったものと外務省は認識をされているか」

と質問したところ、政府の大菅岳史《おおすがたけし》外交官は、

「他国の法律でございますので、お答えすることは差し控えさせていただきたい」

と答弁した。まるで他人事じゃ。

これに対し、高橋議員が、

「このような法律、我が国としてどのように対応していくべきだと考えておられますか」

と再質問すると、大菅外交官は、

「適用除外の規定には在外中国人は含まれていないが、逆に、海外に居住する中国人にこの法律が適用されるという規定もない」

とか答弁をしたんじゃ。

いやいやいやいや。国立国会図書館の海外立法情報調査室に所属する宮尾恵美調査官がな、国防動員法を和訳したんじゃが、このように記載されておる。

《第48条　この法律で国防勤務とは、軍隊の作戦を支援する任務をいう》

《第49条　満18才から満60歳までの男性公民及び満18歳から満55歳までの女性公民は、国防勤務を担わなければならない》

公民とは中国の国籍がある人じゃ。かなりヤバイ状況じゃ。

しかもな、「千人計画」という、中国軍の研究機関（大学）の軍事研究に、日本人研究者44名が参加していたという恐るべき事実も明らかになっておる。千人計画とはな、アメリカ司法省が「情報を盗み輸出管理に違反することに報酬を与えてきた」ことだと定義し、めちゃくちゃ非難している。

でも、日本人は平和が大嫌いなのか、侵略戦争に貢献ばかりしている。みんな、当事者意識を持ってくれ。本当にやばいんじゃ。みんなの当事者意識が日本を守るんじゃ。「スパイ防止法」とか「核武装」とか「憲兵制度」とか日本語で書くと、おどろおどろしいがな、イギリスはこれらが全てある国なんじゃよ。何も問題は起きていない。それをみんなに知ってほしいんじゃ。

それで、みんな明るく楽しく平和に暮らしているんじゃ。外国人のワシにも親切にしてくれてな。日本人は国際社会と同じ社会基準を持つべきなんじゃ！

嘘っぱちの歴史観に惑わされてはいかん！

統一教会関連は世間を騒がせたが、日本と朝鮮にかかわる情報はセンシティブな割にはかなりデマが多いんじゃ。

そこで、日本と朝鮮の近代のかかわりについて解説するぞ。

まず1910年に日韓併合条約が日本と韓国で締結され、朝鮮半島は日本国になった。これを「植民地」と言うのはデマじゃ。併合とは法律上の契約により成立するものを言う。

例えば現在のイギリスは、かつてイングランドがスコットランドやアイルランドと契約して併合してできた国じゃ。「スコットランドは植民地です」と言ったら変な人じゃろ。

一方、植民地とは法律上の契約がないまま実効統治することじゃ。

これはそもそも契約の主体となる相手方の政府がないとか、意思疎通ができないとか、そういう事情がある。

だから朝鮮半島を日本の植民地ということは「差別思想」なんじゃな。実際、当時の朝鮮人側から「植民地と言う差別主義者をなんとかしてくれ」と陳情が出ておる。

朝鮮半島に大韓帝国という政府がちゃんとあり、一進会という政権与党を率いる李《り》完用《かんよう》（1856年～1926年）というリーダーが日韓併合の契約を締結したんじゃな。

この人は日本の貴族（侯爵）になっておるぞ。

さて朝鮮が日本領になり、いきなり日本の法律を朝鮮全土に適用すると混乱するから、別枠にしたんじゃ。

でも基本的なことは適用した。具体的には妻を殺害したら殺人罪を適用するとか、16歳未満の売春禁止とか、祈禱《きとう》を医療行為にしてはいけないとかじゃな。

問題になったのは地図を作成するため、政府が地面に経度緯度の杭を打ち込むことじゃった。

あれは呪いだということで反日運動が起きてな、1990年代になっても「日帝風水侵略」として問題になって引っこ抜いたりしたんじゃ。

さて、そんな問題もあったが時代は進み、日本が普通選挙を導入すると、朝鮮人男性も投票権を得たんじゃ。

よくあるデマが朝鮮人に選挙権がなかったというものじゃ。

朝鮮半島在住者は生まれが日本人でも選挙権はない。しかし、日本列島に在住していれば、台湾人や朝鮮人も25歳以上の男性なら選挙権があった。

選挙管理をしていた内務省も、日本語が書けない人のためにハングル投票を認めたんじゃ。

こうして東京では朝鮮人衆議院議員の朴春琴《ぼくしゅんきん》が当選した。

この朴議員は、帝国議会で陸軍大臣に対して「朝鮮人だけ兵役がないのは朝鮮人差別だ！」と詰め寄り、朝鮮人義勇兵制度をつくり出すぞ。なかなか骨のある議員じゃ。また、貴族社会では280人以上の朝鮮人貴族を認定したぞ。

陸軍では朝鮮人将軍が任官した。優秀な人は生まれにかかわらず昇進できたわけじゃな。

さて戦争が始まると、徴用といって国が指定した労働をするようになった。

ここでも朝鮮人は適用外だったため差別だと言われてな、1944年9月から徴用が始まったんじゃが、1945年3月にアメリカ軍の攻撃が激しくなったんで終了したんじゃ。

この期間、日本に連れてこられて、そのまま日本にいた人は全員で237名じゃったと外務省に記録されている。

基本的に日本列島には労働力が余っていたため満洲とかに移民させていたので、欲しい労働力は単純作業ではなく技術者エリートだけだから237名しかいなかったんじゃな。

さて戦争が終わると、日本は占領された。このとき、台湾も朝鮮も日本国のままじゃ。1952年4月に日本がサンフランシスコ平和条約を締結して朝鮮や台湾の統治権を放棄する契約を交わすと、朝鮮人は日本国籍を喪失した。

でも戦争に負けてから約7年あったわけじゃろ。何も前科がない人は帰化できたわけじゃ。

そんなわけで、戦後の日本には、帰化した朝鮮人、帰化しないという選択をした朝鮮人、帰化したかったができなかった朝鮮人の3パターンがあった。

そして1950年に朝鮮戦争が起きると難民となって上陸してきた人々も合わさり、現在があるわけじゃな。

まあ差別とかいろいろ言われているが、朝鮮人だから義務を免れたことはあっても権利を失ったことはないわけじゃ。そのあたりを踏まえて冷静に見てみいな。

韓国の反日というのはな、一部の変な人たちが言っとることで、韓国の一般人はみんな日本が大好きじゃよ。

日本人にも韓国に対してよくない気持ちを持つ人がいるのはもちろんわかる。ただ、それも日本と韓国を分断させると政治的に有利な人のアイデアの可能性もある。日本も言うべきことはちゃんと言い、良い未来が築けるといいなとワシは思う。

あと創氏改名ということも説明するぞ。

朝鮮人には名字がなかった。

金とか朴はカバネ（姓）といい、日本だと源平藤橘《げんぺいとうきつ》（源氏・平氏・藤原氏・橘氏）じゃ。つまり結婚しても変わらん。

そこで金とか朴のカバネを名字として扱うことが創氏じゃ。つまり、金さんと朴さんが結婚したら、金または朴で夫婦統一することじゃな。

改名は金さんが木村さんとかに改名することじゃが、いまと同じく裁判所の許可審判が必要じゃった。気軽には変えられん。

改名が強制というのはデマじゃ。

ちなみに夫婦別姓というのは、この逆で、名字をカバネとして扱うということじゃ。名字は結婚や養子縁組で変わるが、これを変えないようにするというのは、名字を廃止してカバネにするという朝鮮の考え方じゃな。

つまり、夫婦別姓は強制的親子別姓となる。子どもは強制的に親と違う姓になる。

そこに注意が必要じゃ。

韓国は日本の子供じゃないぞ！

「朝鮮人が小舟で日本海側沿岸に上陸してくる」というのは、みんなもう忘れているが切実な日本の社会問題じゃった。

2019年11月にも、北海道木古内《きこない》町の海岸に小型上陸用舟艇が打ち上げられ、中には2人の遺体があり、所持品などから北朝鮮から来たことが海上保安庁から発表されておる。

2017年には実際に上陸して発電機など手当たり次第窃盗をした罪で起訴された、北朝鮮籍の男性もいた。

まあ捕まっても「漁業をしていたら偶然流された。漁具は海没した」とか言い訳されたらそこまでなんじゃが、密入国の何がまずいかというと、社会的に受け入れ基盤がなく、お金も住むところもなければ、必然的に悪いことをして生活するしかないし、反社会勢力が覚醒剤の売人とかを利用して、悪のグレードアップが当然予想されるからじゃな。

じゃから、世界各国は密入国を強く警戒しておるわけじゃ。

ワシらが一生懸命に働いて納めた税金で築き上げた社会インフラにタダノリさせる、というのもおかしな話だとワシは思う。

ただ、なぜこうも長期間、レーダーに捕捉されにくい木製小舟で日本に来るのかというと、実際にこの行為が合法だった期間と世論があったからじゃ。

それは、日韓併合条約が発効した1910年8月29日から、サンフランシスコ平和条約が発効した1952年4月28日までの期間じゃ。この期間、朝鮮半島出身者には全員日本国籍が付与され、日本人となった。

だから、ワシらが船で伊豆諸島に行くのと同じ法的扱いで、朝鮮半島から日本列島に移動できたわけじゃ。

よく「戦争が終わったら突然日本国籍を剝奪《はくだつ》された」とかいうデマがあるが、実際には1945年8月から1952年4月まで日本国籍があり、この期間に本籍地を朝鮮半島から日本国内に転籍し申請するなど、引き続き日本人として生きたい意思表示をすれば、普通に日本人になれたんじゃな。

ただ、1948年8月に韓国が建国されると、なかなか手続きが難しくなったなどの事情もあり、また、韓国大統領の李承晩《りしょうばん》が1952年1月18日に一方的な領海宣言をして、数千人にも及ぶ日本人漁師の拉致と拷問を繰り返すなど、なかなか難しい状況にはあった。

とはいえ、法律上は1952年4月まで日本人なのだから、移動は日本国内法上では合法じゃった。

最大の「小舟」が来たのは、1950年6月25日に始まった朝鮮戦争からじゃった。開戦すると北朝鮮軍はソ連の武器供与を受け、大攻勢を開始し、ソウルを占領。開戦3カ月で最終防衛ラインは釜山《ぷさん》になってしまった。

共産軍は各地で韓国人民間人に銃弾を浴びせ、いまのガザ地区よりも過酷な戦闘が行われ、韓国の民間人が130万人以上も不条理に殺された。

可哀想だよな。可哀想じゃろ。

日本が戦争に負けたから、韓国の女性も子どもも、ただ「共産主義を信じない」というだけで、生きることを許されない状況になった。

そこで、日本側も山口県に6万人の韓国人を収容できる難民保護センターを建設する企画が始まり、日本各地で韓国人を受け入れたんじゃ。

「韓国は反共の防波堤」

いまは信じられないかもしれないが、当時は本当にみんなそう思っていたんじゃ。

だから、みんな韓国人に優しかった。小舟で着の身着のままに来ても保護した。

一応、日本国籍があるからだけではない。その人の父親が、祖父が、息子が、兄が、弟が、いま日本にも迫り来る共産軍と戦って傷つき、亡くなっているからじゃ‼

日本が戦争に負けたから！　代わりに！　代わりに戦ってくれている！　放置していたら対馬《つしま》や福岡を襲うかもしれないあの共産軍と！　背後にいるあのソ連や中国と！

これで当時の在日韓国人に対してぞんざいな扱いをする日本人は、共産主義者くらいじゃ。じゃから日本は、生活保護の扱いも日本人に準じる扱いにし、勝手に日本にきても捕まえたりせず黙認したんじゃ。

……でもな、あれから時が経ち、世界は大きく変わった。にもかかわらず、法的扱いはそのままじゃ。だから相互不信が起きる。

いまのままじゃ駄目だよな。韓国はもう日本の子どもではない。立派に成人しとる。

一方的な援助や寛容はかえって反発の原因になる。それを政治に反映すべきじゃ。

あの〝タレントAさん〟は密入国者だったんじゃろか？

いま話題の女性タレントAさんについて、ワシの考えを書くぞ。

論点は4つあるぞよ。

①テレビ番組で、当時5歳のAさん役の子が再現VTRで、「小型上陸用舟艇」で海をわたり、日本を目指しているシーンが制作され放送された。

このタイプの船は、港に接舷して乗員乗客を上陸させることは物理的に不可能じゃ。なぜなら港の高さより船が低いからな。浜辺などに上陸させるため、船の前方が斜めに設計されている船じゃ。

そして我が国の浜辺には入国管理庁はない。ただ、これはテレビ局制作側が勝手なイメージでつくりあげた映像か、Aさんの証言を忠実に再現した映像かはわからない。

しかし、一般に視聴者の立場から見たら、テレビ局が嘘の描写をしているに違いない、とか、Aさんが不正確な証言をしたに違いない、とか疑ってみる義務はなく、普通にテレビ局とAさんを信用していれば、「上陸用舟艇で日本に来たんだ」という事実を認識してしまうことにはなんの責任もないよな。

②Aさんは済州島に生まれて、その後「韓国のどの港」から「日本のどの港」へ来たのか、来日の経緯の具体的説明が現時点ではなく、単純に船を利用したという移動媒体のみが説明されていることじゃ。

船の場合、いまは博多港から出入国できるが、当時は西日本だと下関か神戸くらいしか入国経路が法整備されておらず、また韓国から日本への船舶利用の出国は、釜山からしか整備されていなかった。済州島からダイレクトに来ることは合法化されていない。

こうした事情の中、現時点でAさんの「釜山から出国手続きをして乗船した」という証言が確認されていないのは事実じゃ。

③当時の日本には韓国からの密入国問題と、韓国政府による犯罪者引き取り拒否問題

という、2つの社会問題が存在したことは事実であること。

ただ、当時5歳だから仕方ないとか、のちに高校に行っているから問題ないというのは、今回の話に関係ないことじゃな。今回は、Aさんが初来日したとき、我が国の査証を受けていたのか、そうではないのか、というただ一点のみが話題になっておる。

なお、入国が合法でなかったとしても、合法に滞在している人との関係性や、時効（3年）など、さまざまな事情によって日本の在留資格をその後に得られることはある。
④実は1970年以後に日本に入国した外国人の記録は、外務省に申請するとすぐ取得できる。昔のパスポートをなくしてしまっても一安心じゃな。
現時点では、Aさんは「合法に来日した」と主張しているが、それを証明する公的書類は容易に入手する手段がある一方で明らかにされていない。もちろんAさんにはそんなことをする義務はないし、こちらから要請する権利もない。

よって、いま明らかになっている事実は、

・上陸用舟艇でAさんが初来日したという再現VTRが放映され、Aさんがこれを現時点で否定していないこと
・どの港から出国し、どの港の入国管理庁を利用したのか説明されていないこと
・当時は密入国が日本では社会問題になっていたこと

この3点は事実じゃ。

ワシが思うに、悪いのは、公共の電波を使い視聴者を誤解させる映像を放送した事業者ではないかな。Aさんも視聴者側も被害者じゃよ。

なので批判すべきは、Aさんではなく、またAさんの初来日時点での合法に疑いを容《い》れた側でもなく、テレビ局だとワシは思う。

安全な渡航ルールのためにも、公共電波は法律に則《のっと》るとの理解を広く得られる映像のみを放送すべきだとワシは思う。

みんながルールを守って旅行したり仕事に来るならば、また、ルール違反をしたと思われるような言動や表現をしないならば、お互いに不信感もなく、日韓が仲良くできる可能性があるとワシは思う。

そのためには、不平等条約（日本側には在日韓国人の生活保護について特別な規定を定めた条約があるが、在韓日本人の生活保護について定めた条約はない）なども解消し、お互いの透明度を高めていきたいな、と思う。

「なにかズルをしていないか？」と思われない関係性を築きたいな！

やられたらやり返せばいいんじゃ！

上川陽子外務大臣が「日本の海に撒かれた中国軍の軍事用ブイ」の撤去を拒否する答弁をしたそうじゃな。ギギギギギ！

ワシはそういう歴史に学ばない態度はダメだと思うんじゃよ。

昔、南京でな、日本人の外資系サラリーマン駐在組の妻や娘が1週間輪姦されまくった期間があったんじゃや。1927年3月のことじゃった。

このときの中国はな、軍閥といって日本の戦国大名みたいのが各地域を支配していてな、蔣介石《しょうかいせき》というハゲが率いる国民党という武装勢力が「北伐」といって、各地を平定しているときじゃった。

蔣介石の軍隊が南京に入るとな、アメリカやイギリス、フランスの会社を荒らしまくってな、金を奪ったり白人女性を捕まえて、なぶり殺しをしたりと悪さをしまくったんじゃな。

だからアメリカとイギリスはキレて、軍艦を派遣して砲撃をしまくり、1000人以上の無関係の一般人を殺したんじゃ。

そうしたら中国側はな、アメリカとイギリスを尊敬して、以後仲良くなったんじゃ。

ところが、日本海軍もこのとき一応、軍艦3隻が派遣されていたんじゃが、

「一般人を砲撃するのは良くない」

とか言ってな、一発も撃たなかったんじゃ。

そうしたら中国側は、「日本海軍はカカシ」と大笑いしてな、以後、南京市内で日本人を見つけたらレイプしたり、面白半分で殺すようになったんじゃ。

南京には日本領事館があって、領事の妻や幼い娘と、避難してきた日本人の若い女の子がたくさんいたんじゃが、領事館を守るはずの日本海軍陸戦隊がな、

「刺激したらよくない」

とか言い出してな、外交特権で守られるはずの日本領事館敷地内に中国兵がたくさ

ん侵入してきて、領事の奥さんと娘を30人くらいで輪姦して楽しんだわけじゃ。

領事館には駐在武官という日本軍人がいるんじゃが、女たちを見捨てて逃げる過程で尻を銃剣で刺されておるぞ。

中には日本の女の子が日本海軍陸戦隊員に「助けてください」と言ったのに、「刺激するとよくないから黙ってレイプされろ！」と突き放したという強烈な証言も残っておる。

1920年代の日本軍がこんな調子だったのにはワケがあってな、外務大臣が「協調外交」というのをしとったんじゃ。要するに自国民が殺されても犯されてもヘラヘラしておれということじゃ。

最悪なことに、このときの日本の外務省は、「南京での日本人被害なし」と公表したため、現地の日本人が烈火の如く怒っておる。

さて問題はな、やられているのにヘラヘラしていて、中国とその後仲良くなれたかの？　なれてないよな。

中国にしてみたら、あんな自国民の女も守らないようなカスに、なんで中国内でデカい顔されなきゃいかんのだ？　となり、その後も反日運動が盛り上がったわけじゃ。

もちろん現地で働いていた日本人殺しもエスカレートし、日本人の子どもの腸《ちょう》を引きずり出して、ネックレスにする遊びが流行ったんじゃ。

「やられたら即やり返す」

これができないと小学校でも世界でもいじめられるのは当然じゃ。いまの日本政府はクラスでハブられていた子が大人になって政府要人になったようじゃ。

ワシがイギリス女王（当時）の住むバッキンガム宮殿を観光したとき、めちゃくちゃでかい衛兵（ワシ、身長１６４センチ）が、最新の自動小銃を抱えて微動だにせず警備していた。

格好よかったぞ！

日本の皇居や赤坂御所も警察が警備しているが、こんな強そうなのは１人もいないぞ。チビのおっさんが普通にいて、フラフラと足や腰を動かしながら警備している。

唯一、正月に一般人が皇居に参入するとき、皇宮警察が微動だにせず立っているが、マシンガンも持ってないし、身長普通だし、強そうではない。だから舐められて皇居にたびたび変な奴が侵入したり、ドローンを飛ばされるんじゃないかとワシは思う。

世界の基準はな、譲り合いとかじゃないんじゃよ。どれだけ強そうに見えるか、舐められないようにするかという男社会なんじゃ。日本の女の子ルールは通用しないんじゃよ。

岸田政権は、それをよく考えてな。みんなも舐められたら嫌じゃろ？

安易な移民受け入れは亡国の途《みち》じゃ！

国連がいま、全世界に1億人以上いる難民の受け入れを日本に要請したんじゃ。日本は関係ないじゃろ！　なんで欧米列強の植民地支配の尻拭《ぬぐ》いを日本にさせるんじゃ！　ギギギギギギ！

いまパレスチナ地方で殺し合いをしているのも、もとはと言えばパレスチナを支配していたイギリスが「この土地をアラブ人にあげる」と言うと同時に「この土地をユダヤ人にあげる」と二枚舌をやってくれたおかげじゃ！

そして、日本の齋藤健前法務大臣は不法滞在をしている外国人に特例在留許可を出すと言い放った！

そこで「移民」や「難民」についてお話しするけぇ、良かったらみんな聞いてな。

ワシはちょうどブレグジット前、つまりイギリスがEUを離脱して、移民受け入れを終了する前のイギリスで約3年間、学生をしておった。

そこで見た光景はな、移民たちは英語もろくに喋れん、教育を受けてないからまともな仕事もできん、そうしたドン詰まりの状態でな、小学生が麻薬を街頭で売り、ヘロインやコカインの営業をし、時にはショバ争いでナタを振りかざして敵対小学生チームのメンバーの脳みそをカチ割り、また白人の11歳の女の子を拉致してレイプビデオを制作して小児性愛者に売り歩くカオスがあった。

日本でも麻薬の売人はいると思うが、小学生の売人はおらん。

これが移民政策の実態なんじゃ。

そこでな、ワシが日本人だと分かると、イギリス人らは、「日本は移民を入れていないから賢い」みたいなことを言うんよ。

いやいや、それは誤解じゃ。

大日本帝国は多民族国家で、海外領土から日本に引越しするのは自由じゃったからな、1930年代の東京では移民の衆議院議員が当選し、移民貴族が貴族院議員になり、そもそも投票用紙が日本語ではなく移民たちの言葉で書いても有効票になった、と説明したんじゃ。

中でも1950年に半島で戦争が始まると大量の難民が日本に押し寄せてな、それはそれは混乱したんじゃ。

この移民か難民がな、1958年に東京にある進学校で毎年何名かの東大合格者を出す小松川高校のな、女子高生が校舎の屋上でお弁当を食べていたら、いきなり殺してな、死体とセックスを楽しむ事件などが起きているんじゃ。

しかも、当時の日本は移民難民受け入れ放題だからな、マスコミが「日本人女子高生の命など軽い」という趣旨の報道をしまくってな、あの小説『宮本武蔵』を書いた吉川英治まで「たかが女子高生を殺して死体とセックスしたくらいで厳罰はおかしい」と減刑運動をし出したんじゃ。

あのな、移民というのは、基本的に「もといた国にいられない事情」がある人たちなんじゃよ。つまり、就労意欲がないとかな、働く能力が根本的にないとかな。

優秀な人はそもそも自分の国で働いておるからな。

だから、労働者を確保しようとして移民を受け入れても、その人らが働く保障はどこにもないし、働いたとしても治安悪化や地価下落による損害額を上回るだけの経済的効果はないんじゃよ。

移民1人が年間350万円稼いで、犯罪被害で5億円の損害が出て割りが合うかの？

だから、計算ができるイギリス政府は2016年7月に国民投票して移民受け入れをやめたんじゃ。

この話は移民難民をあえてごっちゃに書いているが、基本は同じじゃ。

この豊かな時代になって祖国を捨てる者が日本国に貢献できるはずもなし！

農業技術がいまほどなく、食糧が足りなくて食い扶持《ぶち》減らしのために移民したかつての日本人移民と、時代背景が全く違うんじゃ。

ワシがイギリスに留学したとき、アジア、アフリカ、中東、ヨーロッパの非英語圏から集まった若者たちがいっぱいいじゃった。

ワシを含めて、この人らはイギリスへ学びに来たが、移民しようとは考えておらん。学んで帰り、祖国をよくしようする大志があるからじゃ！　みんな目が生き生きしとった。

移民とは「高度人材」つまり、最低でも修士号くらいは取って、日本に新しい知識を与えてくれる人々に限定すべきじゃ。明治のお雇い外国人もそうじゃった。

会釈だけでセックスOKってマジか⁉

つい最近な、20代の日本人女性から過去2回も街中で会釈をされたから、公園内の公衆トイレで性行為をする合意を得ていたと主張して、強制性交罪で逮捕されていた外国人が不起訴になったんじゃ。

まず会釈でセックス許可と認識するのがやばいんじゃ。

しかし、そういう価値観を持つ男性は世界に何十億人といる事実をみんな知らんわけだな。

さらにやばいのは、日本の刑法は「故意」を犯罪の主体だと決めているから、その人が真摯《しんし》に合法だと思って実行した場合、その合法だと確信する事情（文化など）がある場合、罪に問うことはできないんじゃよ。

具体的に言うとな、昔、狩猟法でタヌキ禁猟を決めたが、猟師がタヌキを獲って捕まった。

しかし、猟師は「うちの地方じゃ、タヌキは生後間もないものを言い、成獣はムジナって言うんだ。俺はムジナを獲ったの！」と言い、無罪になっとるんじゃ。

これを当てはめると、

「うちの祖国じゃ女性から２回笑顔でお辞儀されたらセックス許可という文化があるの！　だから俺はやっただけ！」

と言われたら、罪に問えなくなってしまうんじゃな。だから２０２３年、不同意性交罪をつくり、女性が能動的にセックス合意の意思表示をしないと罪になるように法律がグレードアップしたんじゃ。

この文化が違うという理由で、外国人による性暴力がことごとく無罪になっておるんじゃよ。

以下に紹介するぞ。

①東京地裁は２０１７年７月27日、30代の日本人女性に対する準強姦罪で起訴されたトルコ人男性に対して、無罪判決を下した。同被告は、東京都北区ＪＲ赤羽駅近くの多目的トイレ内において、日本人女性を姦淫《かんいん》し、被害女性の生殖器付近にトルコ人被

告の体液（ＤＮＡ型一致）が付着していたとして起訴されていた。しかし、石井俊和裁判官は「（体液付着は）犯罪の裏付けにはならない」として無罪判決を下した。

②名古屋地裁は２０１７年9月5日、電車内にいた23歳の日本人女性に対する強制わいせつの罪で起訴されたブラジル人男性に対して、無罪判決を下した。同被告は、電車内の座席にたまたま座っていた被害女性の頭部を摑んで性的行為を強要し、性器を触らせるなどしたとして起訴されていたが、田辺三保子裁判官は「被告は外国人であり、拒絶の態度を理解できず、女性がただはにかんでいると受け止めた」として無罪判決を下した。

③静岡地裁浜松支部は２０１９年3月19日、自宅付近のコンビニを利用中だった16歳の日本人女性に対する強制性交等致死傷の罪で起訴されたメキシコ人男性に対して、無罪判決を下した。同被告は、被害女性を人のいない場所に連行して身体を触り、被害女性の口腔内に自己の性器を押し込み、口唇外傷を負わせるなどして起訴されていたが、山田直之裁判官は「（外国人の）被告から見て明らかにそれとわかる形での抵抗

はなかった」として、無罪判決を下した。

しかも、「出入国管理及び難民認定法」は性犯罪で裁かれた外国人であっても、難民申請をされたならば在留許可（仮滞在許可）を法務大臣が出さなければならないことを、つい最近まで定めていたからタチが悪い。

な？　ひどいじゃろ。

そもそも「出入国管理及び難民認定法」の起源は、第2次世界大戦後、連合国総司令が日本政府に下した「命令」なんじゃ。つまり、我が国の主権喪失下において制定されたもので、選挙で選出された議員によって可決するという民主的プロセスを経てないんじゃ。

しかも難民条約も、日本人女性に対する性犯罪はＯＫ（性犯罪も難民認定可）と政府が公式に答弁しておる（昭和55年4月9日、第91回国会衆議院法務委員会第14号小杉照夫外交官答弁）。

疑義ギギギ！？？

ほかに難民申請理由もかなりいい加減で借金があるからとか、日本を舐めておる。

選挙にも行かず、組織票で選ばれた議員ばかりになると、もっと酷いことになる。みんな政治に関心を持ってな！　傍観者でいるとこれから大変なことになるぞ。ある時期のイギリスは性犯罪だらけで社会が地獄になり、それでこのあと国を挙げて移民規制を決めるわけじゃ。そこに至るまでどれだけの被害者がいたか……。日本は間違いを繰り返してはならんのじゃ。

外国人ばかり優遇してどうするんじゃ!!

生活保護って、なんじゃろな？

ワシが涙したのはな、コロナ禍で経済が混乱していたときにな、大阪市港区築港のマンションの一室で、女性2人の遺体が発見されてな、警察が司法解剖したら、2人の死因は餓死じゃった。

遺体の体重は約30キロで、室内の冷蔵庫は空っぽじゃった。可哀想にな。本当に可哀想にな。令和になっても餓死する人がおった。

でもな、その一方でワシらの税金で、たらふく食っている人らがおるんじゃ。いわゆる「外国人生活保護」という問題じゃ。

最高裁は一応な、「生活保護法が外国人に適用されるべき根拠は見当たらない」（平成26年7月18日）という判決を出しているんじゃが、各自治体が超法規的（法律は関係なし）に外国人生活保護を続けてな、内閣も「生活保護法により外国人保護をしている」（平成30年12月7日）と答弁して、まあ最高裁とは違うことを言ってるんじゃ。

事の発端はな、大分県大分市に住む中国人女性が、不動産投資業をしていたんじゃが、うまく行かず、中国に帰るのは嫌じゃから生活保護を求めたんじゃな。で、大分市が拒否したから訴訟になったわけじゃ。

つまり、自治体によって法律を守ったり無視したり、対応がバラバラなわけじゃな。

実は、外国人生活保護は厚労省がな、「当分の間、生活に困窮する外国人に対しては一般国民に対する生活保護の決定実施の取扱に準じて必要と認める保護を行う」という通知を1954年に出していてな、これが2023年になっても「当分の間」（次に通知を出すまで）というわけで、外国人生活保護をしているわけじゃ。

でもな、ワシは時代背景を考えるべきだと思うんじゃ。

実はな、ほら昔は朝鮮や台湾や南樺太《からふと》の人たちは日本国籍を持っていたじゃろ。でも日本が戦争に負けて、サンフランシスコ平和条約を締結すると、これらの地域の統治権を日本が放棄したから、日本国籍を喪失したわけじゃ。

つまり、条約が発効した1952年4月まで日本国籍として生活保護を受けていたのに、条約でそれを失うのは可哀想という当時の事情があったわけじゃな。

ワシもそれはわかる気がする。戦争に負けて日本国籍を失ったのは、別に本人たちの責任ではないものな。

だから、1954年時点で外国人生活保護はわかるんじゃ。

じゃが、いまは2024年じゃ。それから70年もたっているんじゃ！

しかも、もともと日本に無関係の国々から来て生活保護もらうのは、どうかと思うんじゃ。

ところで、ワシはイギリスでゴスペル隊に参加したことがあるんじゃ。ワシは別にキリスト教徒ではないが、例によって日本人のなんちゃって宗教観で、とりあえず誘われたのでイエス様を讃える歌をいろんな国の人と歌っていたときじゃ。

実は、イギリスには日本人生活保護者がいるんじゃ。このとき知ったんじゃが……

それはイギリス人の旦那と結婚して子どもを産んだ後、その旦那が悪いことをしてムショ行きになってな、日本に帰るにも居場所はないし、子どもは日本語話せんし、仕事もないし、と詰んでいてな。

だからイギリス政府がな、日本人女性に生活保護を受給させているんじゃと。じゃけぇ、ワシはその国が日本人に生活保護を受給させているなら、日本も在日イギリス人が困ったら生活保護を受けさせるべきじゃと思う。

困ったときはお互い様というわけじゃ！

でもな、中国や韓国、ベトナムなどは日本人が困っていても生活保護を受けさせることはない。

なら、日本も同じでええじゃろ。むしろ日本側だけ保護義務があるとか、それは人種差別だと思うんじゃ。

日本はもっと国際的な視点に立たねばならん！　日本人が餓死して、日本人に生活保護を与えない国の人がお腹いっぱい食べている。

それだけは絶対に間違っておる！　みんなもそう思わんか？

3章

海外の意見にへーこらしてどうする！

——ジェンダーフリー、LGBT……もうやめじゃや！

寒気がするジェンダー論はコリゴリじゃ！

「日本は女性が差別されている。女性の地位が高い国を目指せ！」と大合唱したのが、朝日新聞や自民党女性局なんじゃ。

だが、ワシがよーく調べてみるとな、「日本より女性の地位が高い」ということになっているジェンダーギャップ指数の上位国を見ると、強姦被害女性が毎年、日本の数百倍いるスウェーデンや、嫌がる女性を無理矢理拉致して強姦し、結婚することが合法化され国連から批判されているキルギスや、女子小学生を集めて、上半身裸にして踊らせて王様に捧げるエスワティニや、独身女性が父以外の男性と外泊しただけで皮膚が裂けるまで鞭打ちしても合法なインドネシアや、あげく特定の民族の女性というだけで強制労働や強制堕胎手術が合法な中国とか、かなりヤバい状況が「日本より女性が大切にされている国」とされておる。

ところが、日本のメディアや政治家は、そういう国と対等な社会を「日本も目指そう！」とか年間も言っておるんじゃ。

ワシは寒気がする。

実際な、女性が会社役員や議員になれる割合とかで女性差別の有無を算出し、そもそも「役員や議員になりたくない女性」を計算に入れているインチキじゃ。

まあ確かに日本は、女性議員といえばニコニコ手を振ったり、観光地でふざけるだけで政治的な考えゼロの人間が好まれ、ワシみたいにガチに意見を持つ女を嫌う風土はあるが、けど、それは女性差別か？

一方でな、女性自身に幸せかどうかを尋ねた世界価値観調査というアンケートでは、日本人女性は毎回、世界1位か2位なんじゃ。

やっぱり日本に生まれた女性は幸せなんじゃな。

まあ、このようにジェンダー論というのは至るところで嘘ついて騙そうとしてくるが、問題なのは、それに多額の税金が使われていることじゃ。

ワシらが昼をカップ麺にするか袋麺にするか悩んでる横で、「男女共同参画社会予算」で何兆円という税金を使い、男女平等を社会実現のために、劣化ウラン弾に反対するなどという、わけのわからんことをしている団体もあるのじゃ。

おい！　男女平等とアメリカ軍の劣化ウラン弾がどう関係あるんじゃ！

などと正論言っても無意味なくらい、かっとんでおるんじゃ。

みんな当事者意識を持ってくれ。でないと、日本はダメになってしまう！

日本は女性の楽園なんじゃぞ！

最近、円安で売春婦の皆さんが海外へ出稼ぎに行き、そこで残虐なプレイをされ、中には眼球を抉《えぐ》られてピエンみたいなこと言うとるが、日本を出たら女の人権を保障してくれる公権力は数えるほどしかないからな。

むしろ、世界には何十億人という男性がおるが、うち女性を人間だと認識しとるのはほんのひと握りじゃぞ。

確かに親日派は日本に少女漫画なるジャンルがあると知っておるが、それでも『美少女戦士セーラームーン』とか海外で放送されメジャーになった数作品しかないと思っておる。

過去70年間に何十万という作品が描かれたことも知らんし、日本の女児が購買層となるくらい小遣いをもらっていることも知らん。

女子医大とかいう地球で日本にしかない大学も知らんで、日本は女性差別の国とか本気で言うからな。マジキチじゃ。

ワシはイギリス留学中も株ＦＸで自分の生活費を稼いでおったが、イギリスでさえ女が投機しとると聞いても「またまたあｗ」というリアクションじゃからな。頭きて取引履歴みせても「これ、お父さんのアカウントでしょ？ｗｗ」じゃからな。

ワシらが言う女性差別って、職場で嫌味を言われたり、電車で尻を触わられることじゃろ。

じゃが、アチラは職場で気に入らない女性がいると反社に頼んで四つん這いにして手足をコンクリートで固めて犯したあと、海に沈めるからな。そういう遺体が引き上げられたら日本では大騒ぎになるが、アチラでは「またかよｗｗ」くらいじゃからな。

もちろん日本も昔は女性差別が酷かったと思う。

しかし、長い歴史の中でたくさんの女性が子どもを産めない体にされ、ズタボロとなったとしても、そうした悲劇は淘汰《とうた》され、いまの日本がある。

諸外国は淘汰されても陸続きで、次から次へと変なのがやって来るから女性蔑視《べっし》も止まらん。

留学中に更衣室で、スウェーデン人の色白美少女がワシの乳首を見て、

「どうしてそんなに可愛いのにピアスしてないの？　金属アレルギー？」

とか声かけてきたからな。

「は？」と塩対応しても、下半身ぬいで変なところぶち抜いたピアスをワシに見せつけてきて「これすると歩くだけで気持ちいいよ〜」とか言ってくる始末じゃ。ドン引きじゃ。

じゃからワシは夫が変なAV見ていても全く動じない。日本で制作されたAVはビデ倫がある以上、まともじゃからな。

日本がガラパゴス諸島化しとるのは、女性が当然「人間」だと思われることが世界常識だと勘違いしておるからじゃ。世界では、女性と家畜の区別がつかない地域がたくさんある。

ええか、日本が一番女性にとってええところじゃ。間違いない。もっと女は自らを守る国家とは何かを理解しなければいかん。

まあ最近は最高裁が女性の人権を否定しにかかっているからどうなるかわからんが、少なくとも快楽のための豚みたいに解体される女性は、まだ日本には年間一人いるか

いないかじゃろ。安心じゃ。

性産業従事者の女性が生き生きとして、健康状態が良く、身体欠損がないのは、日本の素晴らしい文化じゃと思う。日本はもっと世界を見なければならないんじゃ。日本は女性の楽園じゃぞ。

誤った男女平等は国を滅ぼすだけじゃ！

とある女性の乳首の合法性について、国会で議論され、内閣法制局長官が合法か否か公式見解を述べたことがある。

宮沢りえが17歳10カ月の「児童」のときにヌード撮影をした、と言われる写真集『Ｓａｎｔａ　Ｆｅ（サンタフェ）』（１９９１年発売）について、２００９年に施行された児童ポルノ禁止法が遡及《そきゅう》して適用されるか否かという議論じゃ。大真面目じゃ。

結論としては宮沢りえの乳首は合法じゃった。本当に17歳10カ月での撮影かわからんし、ということが理由にあげられた。

昔は新聞広告でもテレビでも、女性の乳首を掲載し放送していたが、次第に乳首が非合法化されたかのように姿を消した。

女性が自発的に乳首を見せたいというのならば、見せていいとワシは思うんじゃが、イスラム教のタリバンが支配地域の全ての雌馬にオムツを履かせるようにしたのは、「いやらしいから」という理由だったように、若い女性の乳首はケシカランというようになった。

じゃが、ワシはそういうことを言う方がいやらしいと思う。

ワシらは雌馬の膣《ちつ》を見ても「いやらしい」と思わんよな。それが性的対象ではないから。女性の乳首の表現の自由も同じ理屈じゃと思う。

この乳首非合法化は、ついに創作物にまで及んだ。家庭用テレビゲーム機での乳首が規制されたのじゃ。

うろ覚えじゃが、セガサターンのエロゲー『きゃんきゃんバニープルミエール1』（1996年発売）は乳首があったが、「2」では乳首が消されていたと思う。

でもな、『餓狼伝説』（格闘ゲーム。1991年）のムエタイ選手、ジョー東が上半身裸で乳首を出すのはOKだったんじゃ。

ワシが幼稚園当時、なんかのゲーム雑誌で、オトコスキーな編集者が「僕にとってはジョー東の乳首がいやらしい」というコラムを書いて、女性の乳首規制を批判していたが、ワシもそう思う。

なぜ創作物の乳首が駄目なんじゃ？

子どもにとって不健全なんか？

でも男の乳首はいいのか？

最近の男女平等パンチ（男の一発も女の一発も同じという理屈）の話題もそうじゃが、究極的に男女平等を言い募るとおかしなことになる。

そもそも男女平等とは、機会や権利に差をつけないという意味であり、性差を否定するものではない。

でも、男女平等は性差を限りなくなくしていくものだと勘違いしとる官僚や裁判所がいるせいで、この有様じゃ。

ワシはな、男女は不平等であっていいと思う。

若い女が服をまくられて乳首を不意に見られたら、慰謝料は200万円は必要だと思うが、男なら0円でいいじゃろ。

男が泣いている場面を不意に見られたら、慰謝料は200万円必要だと思うが、女なら0円でいいじゃろ。

無理矢理平等にしたら、どこかで歪《ゆが》みが出るんじゃ。男女平等パンチはその典型じゃ。ワシは、男が女にDVしたら刑務所に行くべきだと思うが、女が男にDVしたら笑って許すべきだと思うし、女が浮気したら刑務所に行くべきだと思うが、男が浮気したら笑って許すべきだと思う。

男女は不平等であり、そのかわり男女にはそれぞれ特権があるのじゃ。

この歪んだ世界を早く直すべきじゃ。

この歪んだ男女平等のせいで、本来ならば出産と育児に用いるべき若い女の力を労働に向かわせ、結果やばいくらいに少子化しとるわけじゃ。

男女平等は国を滅ぼす。男女はそれぞれ特権があるべきじゃ。

男性器がついたソープ嬢がおってええんかのう?

「男性器がついたまま女湯利用、助産師になる、女子高に入学、ソープ嬢になる(チェンジ禁止)」ということが法律上認められるかっちゅうことを、2023年10月25日に最高裁が決めおった。

ＡＶ設定の話じゃないけぇ、ワシらが住むリアルの日本国の話じゃ。

では、そもそも、なんでこんなことになったのか。

それはな聖書に「自分の性別とは違う異性の服を着たらダメじゃ」と書いてあってな、有名どころだと、ジャンヌ・ダルクが火あぶりになった理由じゃ。男装してたからな。

この宗教観でイスラム教やキリスト教は女装したヤツらを片っ端から捕まえて処罰していたんじゃ。イギリスでも１９８４年まで刑務所行きじゃった。

でも最近、それは良くないということで、キリスト教国では処罰されなくなったんじゃ。

じゃが、法律で決められて処罰された歴史があるからには、法律で生きる権利を認めにゃ不安じゃろ。ということでＬＧＢＴ法がつくられたんじゃ。

一方、日本は昔から同性愛も女装も男装もやり放題だし、なんなら宝塚とか歌舞伎まであるからな。

無関係な話じゃが、例によって白人の真似したい連中がしゃしゃり出て、法律をつくったんじゃ。わかるな。ガチで差別されていた人だからこそガチで、法律で保護しようというのではない。

「日本にはユダヤ人差別禁止法がなんでないの？　差別主義だ！」とおんなじ話じゃ。

それでな、ついこないだ静岡家裁浜松支部がな、

「法律があるため、公共のトイレや浴場等施設の利用のあり方について社会でさまざまな議論があるも生殖器手術要件が判断の可否を妨《さまた》げるものではない」

という理由を書いてな、戸籍上の性別変更を認めたんじゃ。

もともと日本は世界に先駆けて、性器を切除する手術を受けたら戸籍上性別を変更できる法律をつくったんじゃ。20年以上前にな。

これは当事者から、

「心の性別と体の性別に違和感があるから手術したい」

という強い要望があって法律にしたんじゃ。

ところが20年経ったら、

「手術したくありません！　身分証だけ変えたい！」

という連中があらわれ、今回、最高裁にまで行ったんじゃ。

いやいやいや。手術したくないなら、それは心の性別と体の性別が一致しとることではないのか？　とワシは思うし、そもそも性同一障害の診断基準にも、「自分の身体を自分の好む性と可能な限り一致させようとする願望」とあるんじゃが、完全に無視じゃ。

すでに最高裁は「男性器がある人の女子トイレ利用権」を認めておる。これで戸籍上の性別が変更されたらどうなるかわかるじゃろ。

すでに外国では、女子刑務所に送られて婦女暴行が起きた例がある。トイレや更衣室の女性スペースはもう無意味じゃ。女は、オムツして外出しないと、もうヤバいんじゃ。

心が女で体が男で、女をレイプしてもな、「同性愛です」の一言で終わりじゃ。

ワシは2011年〜14年にイギリスで暮らし、実際にトランスジェンダー当事者らと仲良くなっており、話を聞いておる。

彼女らが言うことは、「刑務所に入れられなくて嬉しい」じゃった。2000年以上差別され、火あぶりにされ、刑務所に入れられ、ひどい差別を受けてきた。だから、もう差別されないのが嬉しい、ということなんじゃ。

別に女子が嫌がるなら、女子トイレに無理矢理入りたいとはひと言も言ってなかった。これが本物のトランスジェンダーなんじゃ。

むしろ、体は男なのに、女風呂に入らせろとか言う「男性の欲望丸出し」はな、トランスジェンダーの方々への差別じゃないか？ ワシは差別は許せんのじゃ。

最高裁の今回の判決は、男性も他人事ではないんじゃぞ。ソープランドで男性器のついたソープ嬢が出てきたからといって、チェンジを申し出たら「差別主義者」にされるんじゃぞ。店側も雇用差別できないからな。

最高裁は日本を変態天国にしたいんか！

最高裁がトランスジェンダーの戸籍性別を変える条件について判断した。ワシが一体どうなっているのか解説するけぇ、みんな聞いてな。

これから約20年以上前にはな、日本は表立って性転換手術ができなかったんじゃ。闇医者みたいなのはやってたかもしれんが、普通の医師は拒否してたんじゃ。

じゃから、心と体の性別が違う人たちはな、一生懸命に何年間もお金を貯めて、アメリカとかに行き、性転換手術を受けてきたんじゃ。

切り落とした自分のタマとサオを小さなホルマリン漬けの小瓶に入れて、アメリカから日本に持って帰ってきてな、

「これが私の人生を苦しめていた物体です」

と、1人の元男性が涙ながらにテレビで語ってな、ちょうど中学生だったワシも見たんじゃが、「よくタマサオ瓶の検疫が通ったな」という疑問以前に、本当に可哀想じゃった。

それで国会が動いてな、「手術したら戸籍の性別も変えていいよ」という法律をつくったんじゃ。

ところが20年以上たつとな、今度は「タマとサオは大切！　戸籍だけ変えろ！」という人たちがあらわれたんじゃ。

自分のタマとサオに苦しめられてきた人たちのために法律をつくったらな、なぜか自分のタマとサオが大切な人たちが「その法律は間違っている！」と言い出した。それが今回じゃ。

で、最高裁の判断じゃがな、まだ大切な部分は実は判断していないんじゃ。

難しいことを書きたくないが、今回は「破棄差戻《はきさしもどし》」と言ってな、高裁にもう一度判断させるんじゃ。

性別を変えるには5つの条件があって、「18歳以上」で「独身」で「未成年の子どもがいなく」て、「子どもをつくれなくする手術」と、「希望する性別に似た形の性器をつくる手術」が必要なんじゃ。

最高裁は「子どもをつくれなくする手術」は必要ない！　と言ったんじゃが、「ちんちんか、オメコに似た形の性器をつくる手術を受ける義務」は、高裁にもう一度考えろ、と言ったんじゃ。

なぜならばな、サオとタマは外についとるじゃろ。

だから外観を女性にしたかったら、一式切り落とすか、股を裂いて中に埋めて縫い付けなきゃイカンじゃろ。どっちにしろ使用不能じゃ。

だが、女から男になるには、わざわざ腹を掻《か》っさばいて、中の子宮と卵巣を取り出して捨てんでも、サオとタマみたいなのを取り付ければええじゃろ？　という意見もある。

まあ、海外でも悪さをしとる側の性別はたいてい決まっておるからな。子宮と卵巣があってどんな悪さができるんじゃ！　という言い分じゃ。

でもな、睾丸《こうがん》があったら精子を取り出して人工授精できるし、卵巣と子宮があればいつでも産めるわけじゃ。

すると戸籍性別が変わっているから、男性の母親や、女性の父親ができるわけじゃ。社会はかなり混乱すると思うんじゃ。ワシはな。

つまり、高裁が今度、「似た性器をつくる手術」を合憲としたら、女から男へ変わるのはいままでよりも簡単だけど、男から女に変わるのは厳しいっちゅうことじゃ。

じゃがな……（ゴクリ）もし高裁が「似た性器をつくる手術」を違憲としたら、日本は変態天国じゃ。ギギギギギギ‼　ギギ！

女風呂や女子トイレ、女子更衣室は法律上は女だが、科学的に男だらけになるんじゃ。

ワシは産婦人科でも男性医師に股を開くのは絶対嫌じゃから、いままでの人生でも必ず女医を頼んでるんじゃが、今後は女医と称した男が出てくるな。

安倍晋三さんはな、諸外国の先行例を深く研究され、このままでは日本も恐ろしいことになって、女性が大変な目にあう恐れがあるから対策を練っておられたんじゃ。

ワシは安倍さんから直接話を聞いたんで、その対策を知っておる。

天国の安倍先生に、このままじゃ申し訳ない。こんな日本にしてしまい、会わせる顔がない。じゃからワシは頑張る。

スイス製媚薬湿布の失敗例に倣《なら》いんさい！

「睾丸を切除しなくても女性になれる」という、最高裁の判断がいかにヤバいかもう一度解説するけぇ、大切なことだから聞いてな。

身体の性別（戸籍上の性別）と心の性別（本人のお気持ち）が異なる人が戸籍上の性別を変更する際、いままでは性器（外陰や陰茎）と生殖腺（子宮や睾丸）の切除手術が法律の要件じゃったが、その要件を一部廃止するという判決を下したんじゃな。

これは「タマは大切だが戸籍の性別表記が男なのは苦痛」という人のお気持ちと、日本国内の全女性の人権とを比べて、タマ派を尊重したんじゃ。

実は、２０２１年の東京オリンピックは、「体は男だが心は女」という人が女性選手として出場が認められた初めてのオリンピックじゃった。

だが無制限というわけではなく、以下の基準があった。

それは筋力をつくるうえで重要な男性ホルモン（テストステロン）の血液濃度が、大会開始の1年前の時点で一般女性の28倍以内ならセーフという基準じゃ。

具体的数字を言うと、心が女で体が男の場合の血中テストステロン濃度は、10nmol／L＝2・8842ng／mLまでセーフという基準じゃ。

これは一般女性の約28倍なんじゃ。生まれながらの女性の28倍までいいのもおかしいが、大会1年前ってことはな、それまでの何十年の人生でテストステロンを出して鍛え抜いた筋肉も使用OKということじゃ。

意味わからん！　ギギギギギギ！

あのな、スポーツ奨学金とかも、これで女性枠は全滅なんじゃ。

ちなみにな、オリンピック委員会は、生まれつき女性として生まれるも、たまたま副腎が特別な状態で生まれたため、たくさんのテストステロンを分泌できる女性選手に対してな、

「テストステロンを下げる薬を飲みなさい。飲まなければ出場資格はありません」

とかいって、実際に出場禁止にしとるんじゃ。南アフリカの陸上選手キャスター・セメンヤ選手じゃ（2012年ロンドン五輪、2016年リオデジャネイロ五輪の金メダ

リスト）。

生まれつき女性の選手を出場禁止にして、心は女で体は生まれつき男性の選手の出場資格を認める。

かなりヤバいとワシは思うんじゃ。

そもそもテストステロンはな、運動能力のみならず、性欲の亢進《こうしん》をもたらす作用がある。ハァハァするやつじゃ。２０１０年代にな、スイスの製薬会社が「イントリンサ」という媚薬湿布を開発して売り出したんじゃ。

テストステロンが含まれた湿布でな、女性に貼ると皮膚から吸収されてたちまちエロくなる湿布じゃ。

大人の事情ですぐ製造中止になってしまったが、ワシは世界のそういう細かいニュースが好きでな、この媚薬湿布が発売されると輸入申請してな、入手したんじゃ。

でも、自分に貼るのは少し怖かったから、とりあえずお母さんに貼ってみたんじゃ。

ママは「肩こりが治った！」と大喜びしていたが、翌朝パパから電話がかかってきてな、

「あの湿布みたいのはなんですか？　執拗に求められ大変迷惑しています」

と抗議の電話がきて怒られたんじゃ。つまり、「エロい女」というのは、生まれつきなんらかの理由でテストステロンのレベルが高く、「エロくない男」というのは生まれつき何らかの理由でテストステロンのレベルが低いということじゃ。

さて、話を最高裁に戻してみよう。

最高裁は「長年ホルモン治療をしているから生殖能力は低い」と、子供を産む能力だけしか言及せず、「テストステロンのレベル」（血中濃度）の数字を何も考慮してないんじゃ。

わかるか？　タマを切り落としたら、その人の性欲レベルは女性と同じになる。女性は副腎という場所でテストステロンをつくるからな。男性は睾丸でテストステロンをつくる。でも睾丸があったら、いくら女性ホルモンを長期間投与されていても、一定以上、テストステロンをつくるからな。

「一般女性とは違うレベルの性欲」が、そこにあるわけじゃ。

この状態で、女湯や女子更衣室、女子トイレの利用権が法的に認められたらどうなるかわかるじゃろ？

終わりじゃ。日本の女子の人権は。

タマを切り落とすのは残酷だから良くないというならな、とりあえず薬物投与で血中テストステロン濃度を一般女性と同じレベルにまで下げてくれ。

これは科学的に計測できる数字じゃ。

現実よりも精神を優先する「精神主義」はな、日本がかつて戦争で大負けした原因でもある。科学を否定した国家に未来はない。これを読んでる男性も、姉、妹、姪、母、娘、孫娘など大切な女子がおるじゃろ。この問題を一緒に考えてな！

いいか、目とタマはつながっとるぞ！

そういえばワシ、イギリスでちょっとエッチなアルバイトをしたことがある。大学の研究室募集でな、筋トレする男性をワシが可愛い服装をして至近距離で1時間凝視するバイトじゃ。で、ワシがいるときといないときの筋トレ中の血中テストステロン濃度を比較する。ワシが見つめていると最大1600倍に増えたぞ。筋肉ムキムキじゃ。

この研究には先行研究があり、男性に銃を触らせてみると、唾液中のテストステロン濃度が約400倍になったというものじゃ。

そこで銃と女、男たちが大好きなものを比べたら、どっちの刺激が強いか検証したわけじゃな。

目で見た情報が視床下部を刺激し、性腺刺激ホルモンを出して脊髄《せきずい》経由で睾丸にいくらしいぞ。目とタマはつながっておるのじゃ。

いろんな男性が筋トレしとるのを各1時間凝視したが、みんな1000倍か1600倍のテストステロンを出して、ひどいのになると笑いながら、よだれを垂らして筋トレしとるのもいて最高に気持ち悪かったぞ。

世界のポルノには、「人妻」「10代」とか、いろんなジャンルがあるが、「日本人」というジャンルが独立してあるため、日本人女性に対していかがわしいイメージが定着しており、みんな喜んでいたから複雑な気持ちじゃ。ガザ地区にAVのDVDを空から撒いたら意外に平和になるかもしれんの。

「諸外国では」という理屈は危険じゃぞ！

同性婚ってあるじゃろ。

まず、日本における結婚禁止条項は5種類あるんじゃ。

幼児婚、姻族婚、養親婚、近親婚、重婚じゃ。

姻族婚とは旦那さんのパパとは、旦那さんと離婚しても結婚禁止ということじゃ。

養親婚とは、養子縁組した相手とは離縁しても結婚禁止じゃ。ほかは言わんでもわかるな。

さて、男女でもこれだけ結婚を禁止するケースがあるのに、どうして同性婚だけが許されるのか？　という問題がある。

でもまあ、幼児婚なら成長を待てばいいし、姻族婚や養親婚はAVでよくあるシチュエーションじゃが、現実にはあんまないケースじゃよな。

じゃが、近親婚は？

実は、ワシらが知らんだけでかなり裁判になっておる。

事案は、叔父と姪。2人は愛し合って生活し、入籍はできないが、住民票を同じにして何十年もともに生活していた。

でも、結婚禁止じゃ。しかも、叔父が死んだ後、厚生遺族年金の受け取りさえ拒否され、長い間裁判になっておった。

ところで、同性婚は良くて、近親婚は駄目という理由を合理的に誰か説明できるか?　なぜ、同性婚はよくて近親婚は駄目なんじゃ?　当事者は愛し合っておるのにな。だから、ワシは結婚とは成人で赤の他人同士の男女に限定するのが一番公平じゃと思う。

最近、裁判では「諸外国では同性婚が認められている」とか言うとるんじゃが、そんなこと言ったら同性婚を認めている国より、同性婚を犯罪だと法律で決めている国の方が多いぞ。

もし意地悪な人が「同性婚の新婚カップルさんドバイ旅行ご招待!　ブルジュ・ハリファをお楽しみください!」とかいう企画をしたら死亡フラグが立つぞ。「諸外国では」という理屈は実は危険なんじゃ。

ワシはな、同性愛を処罰して刑務所に入れたり、首に縄をかけることには絶対反対じゃ。

日本が2014年に国連人権理事国として、同性愛者の首に縄をかけることに反対する決議案に賛成しなかったのは(各国の主権を尊重したとはいえ)、良くないことだったとワシは思う。

日本は昔から同性愛が認められている国じゃ。

欧米のように（イギリスでさえ１９８４年まで同性愛は犯罪だった）、かつて法律で同性愛を処罰したからこそ、いまは法律で同性愛を保護しなければならないという事情が、日本にはないんじゃ。

むしろ日本はな、陰間《かげま》茶屋といって同性愛専門のホストクラブまで江戸中に何十軒とあったんじゃ。

デビュー前の役者の男の子が生活費を稼ぐため、エッチなことにお尻を使わせていたんじゃやな。

まあ、いまは人権の問題から未成年者は駄目じゃが、日本ほど同性愛に寛容な国はない。ゲイ雑誌を世界で初めて出版したのも日本じゃ。

じゃから、婚姻制度で保護する理由がないんじゃよ。

日本にはなんで黒人差別禁止法がないんじゃ？　なんでユダヤ人差別禁止法がないんじゃ？　差別大国だからか？

違うよな。そんな法律をつくる理由がないからじゃ。同性婚についても同じじゃとワシは思う。

1人の異性にこだわってはいかん！

ワシが迷える男子に恋愛のなんたるかを語ろう。よく読んで、おのおの少子化対策に勤《いそ》しむことを期待する。

まずな、女は初対面の男を見て、10秒くらいで任意セックスの可否を本能的に判断する。この任意という意味は、一切のインセンティブ（報酬）なしで性交できるか、という意味じゃ。

「嫌だけど金持ってそうだから」とか、「嫌だけど、まわりのみんなに彼氏がいるのに、わたしだけいないのは生きづらいから、この男で妥協しとくか」というのや、「両親が離婚して上京したばかりで友達いなくて、寂しいからセックスで満たしたい」とか、何らかの利益を得るためにセックスを対価として差し出したものではなく、心底、その男が良いと思ったものをワシは〝任意セックス〟と呼んでいる。

言い換えれば、お金を持っていたり、話題が豊富で楽しければ、女の中には対価として性を差し出す者が多いから、そうした材料を用意しておく必要がある。

でも、それは真の愛ではない。

ニーチェは『ツァラトゥストラかく語りき』という本で、「女はその男と交わり、どんな子が生まれてくるか常に考えている」と述べている。これは当たっている。まあ、これを書いたときのニーチェは童貞じゃがな。

ただな、1人の女は全女性を代表しないんじゃ。女同士で良い男について語る時な、立場が弱い女はその場でみんなと同じことを言うが、内心には独立した好みがある。SUPER EIGHTの村上信五くんが好きな女性はいるが、みんなの前では言わない。というのもな、遺伝子とは、組み合わせが重要になるからじゃ。

例えば大谷翔平さんみたいな、いかにも優秀な遺伝子を持ってそうな男性がいてもな、血液型のRh陽性と陰性が合わなければ、それだけで辛酸を舐めるんじゃ。

血液型不適合妊娠と言ってな、この陰性陽性が合わないと、1回目の妊娠で母体に抗体ができて、妊娠終了から72時間以内に特別な薬を打たないと、2回目の妊娠から母体の抗体が胎児を攻撃してしまい、大変なことになる。でも、1回目の妊婦が自然流産ならわからんよな。

こんな感じで、遺伝子とは相性の問題なんじゃ。どんなに頭良くてスポーツ万能でも免疫の組み合わせが悪ければ病気ですぐ死んでしまうからな。

というわけで、重要なのは、「1人の女性を狙う」のをやめることじゃ。あたりかまわず数で勝負じゃ。

南北戦争では兵士1名を射殺するのに80発の銃弾を消費したが、第2次世界大戦では、兵士1名を射殺するのに1万6000発の銃弾を消費している。

1人にこだわるな。お主に合った女は必ずいる。1人の女から拒絶されても、その女は全女性を代表しない。

ただ、最低限、爪を切り、風呂に入り、床屋に行き、革靴を磨き、シャツはクリーニング店に出し、小綺麗にな。精神病院から逃げてきたような服装では駄目じゃぞ。

そして使うマッチングアプリは、月定額でメッセージ送り放題が良い。1通あたりに金がかかるアプリは駄目じゃ。

プロフィールは短くしろよ。3行じゃ。別に女はお主のすべてを知りたくない。知りたいのは、まずお主が健常者か否かということじゃ。

「とりあえず彼女欲しいんで」とか書くなよ。女はお主のポケモンにはならん。形だけでいいから女をリスペクトした書き方にしろよ。

写真も自撮りするなよ。1万円払って業者に撮ってもらえよ。

米相場で米が一番安いのはいつじゃ。収穫直後だよな。一番高いのは収穫前じゃ。貧農は金がなくて、収穫後すぐ米を売るから二足三文で買い叩かれるが、豪農は米価が上昇する翌年夏まで待つんじゃ。これが小作と地主を分けた分岐点じゃからな。

12月は独身の若い女の市場価値が1年で一番低い月じゃ。ワシも独身、彼氏なしのときクリスマスにヤキモキしたもんじゃ。頑張ってな。

海外の事情を話すと、まあ無宗教のアジア人はすぐやらせるから、白人陰気キャラが白人女性に相手にされずアジア人を狙い、アジア側も穴モテだとわからず消費されるわけじゃな。ワシは面倒だったので「カトリックなんですぅ」で通したぞ。

では健闘を祈る！

「奥様」になる？「おかみさん」になる？　どっちじゃ！

ワシが生まれたときから明治や大正生まれの婆様たちに口酸っぱく言われたことがある。

それは、将来、「奥様」になりたいのか、「おかみさん」になりたいのか、しっかりと決めておけ、ということじゃ。

庶民は妻のことを「おかみさん」と呼び、武家や公家は妻のことを「奥様」と呼んでいたんじゃ。これは江戸時代に喜田川守貞《きたがわもりさだ》（１８１０年生まれ。没年不詳）という人がつくった百科事典（『守貞謾稿』）みたいなのに記録されているんじゃな。

武家の妻は「産むこと」が義務だから、家事や育児をしない。家の奥にある寝室から出てこないから奥様じゃ。

庶民の妻は、出産、育児、家事、仕事（農業や商業）をやる。男よりはるかに果たす義務が多い！　なので、ヤマト言葉で「一番偉い」という意味を持つ「かみ」になったわけじゃ。

現代では「奥様」と「おかみさん」はだんだんと融合してきているが、それでもどちらにとっても大切なものがある。

それは女性の貞操じゃ。なんで貞操が重要かというと、処女ではないと、遺伝子鑑定技術がない時代には、男から見て「本当に自分の子か？」と確信が持てなかったんじゃな。

よく長子相続があるが、あれは若い時に産んだ子が良いというより、長子だけが自分の子だと確信できるからじゃ。普通は24時間、妻を監視しないからな。

つまり、男から信用されるツールが処女膜じゃ。

もちろん学歴や職歴、家柄も信用されるが、どんな素晴らしいバックグラウンドでも、「酒に酔って名前も知らん男とワンナイトしてハメ撮りされました」とかいう事実があれば、信用は一気に崩壊するんじゃよ。

いや、もちろん女自身の信用はそのままじゃよ。極論、シャブで刑務所に行っても学歴は変わらん。

崩壊するのは、産まれた子どもへの信用なんじゃ。つまり、妻は愛されても、その妻から生まれた子が愛されない、ということになるわけじゃ。または、そもそも産ませようとせず産まれない。

すると、男は、「全財産を自分が死んだあとに、あの妻から生まれた子に残そう」とは思わず、そもそも財産を遺そうとせず、使ってしまうんじゃ。

こうしてできたのが、「先祖伝来の土地家屋」もなく、収入の半分以上を賃料や住宅ローンに持っていかれる現代の大多数の人たちじゃ。

じゃから、まず、どうしたら男から信用されるか、ということを女は考える必要がある。自分の産んだ子が信用されるかどうか、じゃ。

「どんな子になるかわからん」ではなく「君が産んだ子なら、きっと素晴らしい子に育つだろう」と男から確信されることが重要なんじゃ。

それにはやはり言動や格好など日頃の心がけが必要じゃな。

それらを含めて「貞操」なんじゃ。

たとえ世界中からビッチだと言われようが、１人の男性から信用されることが、子どもを産む上で大切なわけじゃ。

4章

岸田さん、頼むから強い日本にしてくれよ！

――亡国の岸田政権、もう勘弁じゃ！

いいか、核兵器を持っていないから核攻撃を受けるんじゃぞ！

ワシが婆様から聞いた原爆投下体験記を書く。

1945年8月6日の朝、ワシの婆様は高等女学校生でいまの中3か高1で、都市部にいると空襲されるから、親族がいた広島県甲山町《こうざんちょう》（いまの世羅郡《せらぐん》）というところにいたんじゃ。

あの朝、すごい音と光がして、広島市の方に巨大なきのこ雲があがるのをみた。

婆様のパパは広島東警察に勤務する刑事さんでな、わるーい組織のやつらを捕まえてみんなの暮らしを守る仕事をしていたんじゃ。

婆様はパパの安否が気になってな。いてもたってもいられなくなり、パパの弟（叔父）に広島市内に行きたいと、せがんだんじゃ。

叔父さんは自家用車を持っていたからな。オート三輪というやつじゃ。

ただガソリンがなかったので、近所の親族に頭下げて回って戦前から備蓄していた貴重なガソリンを分けてもらってな、2人で車に乗って広島市内を目指した。

８月６日の夕暮れ時にようやく市内にさしかかると、あたりに負傷者と行き倒れの人がたくさんいた。

片腕がなく、お腹から少し内臓が出て横たわり亡くなっている幼稚園児たちや、顔半分が溶けた赤ちゃんを抱いたお母さんや、破水して胎児が半分股から出て、それをブラブラさげながら彷徨《さまよ》っていた妊婦さんなど、婆様は地獄を見たんじゃ。

助けることもできない。薬も包帯もないからな。ただ、水筒だけはあったから、負傷してる人にあげようと婆様が車のドアを開けようとしたら、叔父さんが「開けるな！　新型爆弾じゃ！　どんな毒が仕込まれているかわからん‼」と止めたんじゃ。

２人は広島東警察に着くと、叔父さんだけ署内に入り、兄、つまり婆様のパパを探した。

東警察署は臨時県庁としてこれから使われるということで人の出入りがあったが、パパはいなかったし、誰もパパがどこにいるかわらなかった。

それで16歳の婆様は、広島市内中心部に行き、パパを探したいと言ったんじゃが、叔父さんが「ダメじゃ。死人の有様が普通じゃない。ただのヤケドとは違う。これは確実に毒入り爆弾じゃ。これ以上、ここの空気を吸ったら危険かもしれん。可哀想だが諦《あきら》めろ。俺だって悲しいんじゃ」と言い、婆様を車に押し込んで帰ったんじゃ。

この帰路、壊滅した街を婆様は目に焼き付けて、「日本軍は、この新型爆弾を持っていない……だからアメリカは使った……持っていたら報復合戦となるから使うわけない……こんな兵器を……」と涙を流しながら言うた。

ワシはこの話を聞いてな、やっぱり日本が核兵器の被害を受けたのは、戦争をしたからではなく、核兵器を持っていなかったからだと思うんじゃ。

2022年はプーチン大統領が、日本への核攻撃を含む威嚇をしたじゃろ。そして中国は核ミサイルを日本にいま向けていて、北朝鮮は上空に撃ち込んできおった。

日本が非核を言うのはいいが、なんか効果がないどころか、まわりの核兵器保有を結果的に促進してないか?

もし日本がまた被爆したら非核を言ってた連中は責任を取れるんか?

いま世界はまたキナ臭くなっておる。

祈ったり、唱えるだけで平和が訪れると信じておるのは、ちょっと普通じゃないじゃろ。普通の人は現実を認識できるからの。

日本の防衛政策がこのままでいいのか、ワシは疑問じゃ。

イギリスの伝統と歴史を守っているのは、イギリスの核兵器じゃ。イギリスは核武装しているから誰もイギリスを核攻撃できない。この当たり前の理屈をイギリス人はわかっておる。じゃから、日本人がわからないはずはない、とワシは思う。

ボーッとしてると北海道と沖縄とられるぞ！

最近やたらと「アイヌ」と「沖縄」が注目されているワケはな、この二つを利用して日本侵略をして、北海道と沖縄に住んでいる日本人を全員殺すか、性奴隷にする計画が公然と宣言されているからじゃ。

ロシアは「アイヌはロシア人」と言い、アイヌの人々が住んでいる土地はロシア領であり、日本が占領しているという立場で、アイヌの人々の中にはプーチン大統領に北海道への軍事侵攻を求める文書を送付したりした人がいる。

中国は「沖縄の帰属は未定」と言い、沖縄独立を目指す人々を送り込み、軍事資金を援助していることが、「フランス軍事学校戦略研究所」から公表されておる。この公表の中には、沖縄の玉城デニー知事の名前が複数出てくるぞ。

それでな、戦争というのは大義名分が必要じゃ。「うおおっ侵略戦争するぞ！」とはならん。そこでどうやって大義名分をつくって戦争をして、大量に人殺しをしたか、2つの例を紹介するぞ。

ひとつ目はロシア・ウクライナ戦争じゃ。

ロシアはウクライナ国内のドネツク人民共和国とルガンスク人民共和国を独立させ、国家として承認し、この2つから防衛を要請されたという大義名分でウクライナ国内に侵攻した。

でもこれは、70年以上前にオランダがやった手口の真似なんじゃ。2つ目の例を紹介するぞ。

2605年8月17日、インドネシアは独立した。

この2605年（西暦1945年）とはインドネシア政府の公式の記載法で、「初代の天皇、神武《じんむ》天皇が日本を建国してから2605年目にインドネシアが独立した」という意味じゃ。

日本は、デヴィ夫人の旦那さん（スカルノ大統領）をリーダーにして、インドネシアの独立を陰でサポートしていたんじゃな。

しかし、第2次世界大戦終了後もオランダはインドネシアを支配して奴隷にしたい。そこで、インドネシア全域に工作員を送り込み、同じく独立させ、6つの独立国と9つの自治州を勝手につくり、これらの国々に「インドネシア共和国から侵略されている！　助けて！」と言わせて、オランダ軍を出撃させたんじゃ。

この戦いでインドネシア人が80万人以上殺されたぞ。

また他に、伊藤忠商事の瀬島龍三（1911年～2007年）という商社マン（元参謀）が、ちゃっかりインドネシア軍に指揮助言したり、2000人以上の日本人が義勇兵としてインドネシア側に付き、戦って死んでいるんじゃ。

2020年になって、ようやくオランダ王国ウィレム・アレクサンダー国王がインドネシアにした侵略戦争を謝罪している。

とまあ、このように侵略戦争とは、現地に工作員を送り込み、軍事資金を援助して、独立宣言をさせ、それを口実にヤルわけじゃな。

ボーッとしているとやばいんじゃ。

イギリスという国は、イングランドがまわりの国々と条約を締結してできた国じゃ。スコットランドや北アイルランドなどと併合条約を結んで、いまのイギリスがあるんじゃな。

日本も明治以降、さまざまな条約を結んでいったが、日本はイギリスと違い、「法律上の行為」と「侵略」の違いが理解できないバカが多い。

イングランドとスコットランドの併合と、日本と大韓帝国の併合は同じじゃ。条約締結しとるからな。

ただ、日本には「大韓帝国は自由意思で条約締結する能力はない」という朝鮮人を差別するレイシストにあふれているため、日韓併合条約を「侵略」とかいうわけじゃな。

戦後、日本が台湾や朝鮮の統治権を喪失したのも同じく条約じゃ。

暴力行為である侵略と法律行為である条約を区別していく必要がある。それが理性なんじゃ。

この区別がつかないと、北海道と沖縄が戦場になる未来が訪れる。

東京地検特捜部は第3次世界大戦阻止に躍起なんじゃ！

第3次世界大戦について説明するぞ。いま世界大戦を阻止するために躍起になっている組織がある。東京地検特捜部じゃ。

こう書いてもわけがわからないと思うので順番に説明するぞ。

まず、世界に2つの陣営があるのは知っているよな。自由を愛する人々と、統制に依存する人々じゃ。

この2つは長らく協調と妥協を繰り返してきたが、そろそろ限界。

なぜなら、医療技術の進歩と、食料生産技術の革新によって増えすぎた人口を支えるだけの雇用がない。すると億単位で人殺しをすれば、人も減るし、人殺しという需要のために、さまざまな仕事ができるというもの。

これをやる3つの地点がある。

ウクライナ、パレスチナ、台湾・沖縄じゃ。

すでにウクライナは2022年から戦争が始まり、パレスチナはイスラエル包囲網の時限爆弾が完成されつつある。

まだ何も起きていないのが台湾・沖縄じゃ。

ここでな、ウクライナはアメリカとEUが戦費を出すことで持ちこたえていた。いままで。しかし、いまアメリカは下院も上院もウクライナ支援予算を否決、EUもこれ以上の支援金が出せない。ウクライナに金がなければロシアの勝ち。暴力で国境が変更できる成功例ができたら、パレスチナとイスラム諸国の希望となり、中国にとっての明るい未来を示唆する。

戦争でたくさん人が死ねば、批判は共産党に来なくなるからな。人民は敵を憎み、国家は内部崩壊を免れる。

そこで日本に残された道は、日本がかつて湾岸戦争でしたように10兆円以上の軍事予算をウクライナにわたすしかない。

嫌じゃ？　戦争になったら福祉や医療以前の問題じゃ。アメリカが「世界大戦？　知らね」とか、最終的に言えるのは核武装しているからじゃ。日本は違う。暴力に対して決定的に弱い。そして、軍事支援を日本国民に納得させる言葉の力をもった政治家が必要じゃ。

この期に及んで親中派など日本にいる意味はないし、説得力がない無能もいらん。

そこで戦後アメリカがつくった隠匿退蔵物資事件捜査部（現、東京地検特捜部）は、アメリカの意向を受け、親中と無能狩りを始めた。これがワシの見方じゃ。ロッキード事件のときもそうだったと言われておる。

結局、「総理になりそうな派閥の偉い人」を上から片っ端に地検が狩っていけば、親米反中の議員が総理大臣になるしかないからな。または政権への脅迫か。

単純な話じゃ。ウクライナ、パレスチナ、台湾・沖縄。

アメリカが支援する能力があるのは、つまり敵を抑え込むキャパシティがあるのは、このうち、ひとつかそこらじゃ。全部は無理。

じゃからロシア軍は中国の電子機器を使いウクライナを攻撃し、パレスチナのハマスは北朝鮮のロケット弾でイスラエルを攻撃した。

日本の財布だけがいま頼りじゃ。じゃからいま、自由世界を守るにふさわしい人が総理になる準備中だと思う。

公明党よ、日本の足を引っ張るのはもうやめじゃ！

日本最大規模の宗教団体、創価学会名誉会長、池田大作氏が老衰のため亡くなった。

今後の跡目争いで政治に影響が出ると思うが、ワシが思うところを書くぞ。

まず、ワシの創価学会と公明党に対する印象は極めて悪い。それは女性の人権を認めない政策を提示したからじゃ。

それはな、公明党の山口那津男代表が、中国共産党によるウイグル人ジェノサイドの問題について、アメリカやイギリスをはじめとする世界中の国々が非難するなか、「制裁すれば外交問題になる」と述べ、人権侵害組織に対して親和性を示したからじゃ。

ジェノサイドってわかるか？

「その民族である」というだけで殺したり、妊婦の陰部にスタンガンみたいのを挿して電撃して強制堕胎させたり、4歳児に炎天下のなか長時間、綿花の綿摘みをさせて熱射病と栄養失調で死なせたり、生きたまま臓器を取り出して売ったりと、悪業三昧《ざんまい》を尽くすことじゃ。

アメリカでは「強制労働を利用して生産をした」ということで有名な靴メーカーが名指しで非難され、フランスでは日本の某有名量販アパレルメーカーが非難された。

かなり悪質な「犯罪」なんじゃ。

それでな、ロシアでマグニツキーさんという弁護士が不正横領を告発したら投獄され、拷問され獄中死したことがあってな、

「犯罪で人権侵害をした外国政府やその関係者の財産凍結や入国禁止にする法律」

を2012年にアメリカでつくったんじゃ。マグニツキー法という。

当たり前じゃよな。

いまワシらが着ている外国製のジャージやパジャマがな、5歳とか6歳の子どもを親元から引き離して強制労働させ、水も食糧もなくバタバタ死んでしまい、そうした労働で安く買えたという事実があったらどう思う？

「安く買えて良かったッス」

とはならんじゃろ。人として。

昔、ナチスがユダヤ人を強制労働させ、クルップ社という企業でたくさんの砲弾やヘルメットをつくらせていたんじゃが、戦後、クルップ社の役員らは、ニュルンベルク継続裁判というので重罪に処せられておる。

中国もそれと同じようなことをして、運動靴やシャツやパジャマなどの綿製品をつくらせているんじゃ。

最悪じゃとワシは思う。

それでな、日本でもそういう邪悪な製品や悪いことをした人を日本に入れない「日本版マグニツキー法」をつくろうとしたんじゃが、公明党と創価学会は反対し、慎重意見を述べたんじゃ。

しかもな、アメリカやイギリスの国家機関が詳細な調査の上で事実を提示しているのに対して、米英以上の調査能力を持たない一政党の公明党が「ジェノサイドの根拠がない」と断じておるんじゃ。

これはもう「政策の違い」ではない。「倫理観の違い」なんじゃ。

ただ、誤解がないように申し添えるが、ワシは公明党に対して、昔は比較的好印象を持っておった。

その理由は22年前に遡《さかのぼ》る。

２００２年９月、小泉純一郎首相（当時）が北朝鮮に直接行って拉致被害者のうち数名を救出する前日、東京の日比谷公会堂で「拉致被害者救出国民決起集会」があった。

その当時、（拉致当時の）横田めぐみさんと同い年だった13歳のワシは、父に連れられてこの集会に参加した。

そして、自民党の平沢勝栄議員らが拉致問題の非道について演説し、その中に公明党の男性議員がいた。

彼は、こんなことを言ったんじゃ。

「公明党は人権の党。拉致は基本的人権を否定する行為であり、許されない」

　ワシは率直に公明党に対して好感を持った。

「基本的人権の侵害は許されない」という根源的価値観を公明党も自民党も共有しているのだな、と納得したからじゃ。

　しかし、それは見事に打ち砕かれた。

　つまり、公明党にとって尊重されるべきは「中国が好き」であって、「基本的人権の擁護」ではなかったからじゃ。

　自民党もそうじゃぞ。

　選挙協力を得られる党益のため、基本的人権という「価値観を共有できない存在」と手を結び続けることは、深刻な傷を負うことにつながるぞ。

岸田さん、そんなこと言ったら政教分離違反じゃよ!

　岸田文雄さんがSNSで総理大臣の名義で、池田大作氏という特定の宗教団体教祖に哀悼の意を捧げたことはな、間違いなく「いかなる宗教団体も国から特権を受けてはならない」という政教分離違反じゃ。

ワシがそう書いたならな、また知ったかぶりしたヤツが「津地鎮祭判例」というのを持ってきてな、合法だと言い張るんじゃ。

あのな、この判例はな、

「社会の一般的慣習に従った儀礼を行う」

にあたり、

「その効果によって宗教を援助、助長、促進しないならば」「憲法第20条第3項で禁止される宗教的活動ではない」

という結論なんじゃ。

地鎮祭は日本政府が成立する前からやってる慣習じゃ。

現職総理大臣がな、その総理大臣名義で特定の教祖をたたえる「慣習」など日本にはない！　過去、政教分離違反を問われた裁判では「慣習」がある場合のみ正当化されておる（砂川政教分離訴訟、箕面《みのお》忠魂碑訴訟もじゃ）。

アウトだった愛媛玉串料事件（愛媛県が靖國神社に寄付）は、愛媛県が過去ずっとそうしてきた慣習がないから仕方がないだと！

裁判所は頭おかしいんか！

これでな、無数にある宗教の教祖のうち、「総理大臣から哀悼を受ける教祖」と「受けない教祖」の差別化が起きてな、「総理大臣から哀悼された教祖」という事実が、宗教に援助、助長、促進の効果を与えているのは明白じゃろが！

これはな、地球上で日本だけ戦没者慰霊施設を「特定の宗教施設」とか言う「国際慣習を否定した反日主義」に対して、世界各国での慣例に従い、官職名で戦没者慰霊施設に哀悼を捧げるのとは違い（私人か公人かの区別は戦没者慰霊に関係ないのが世界の慣習じゃ）、また、バチカン市国やイギリス聖公会など教祖が国家元首であり、外交儀礼となる場合を除き、特定の宗教団体の教祖に総理大臣が哀悼を捧げる慣習自体がそもそも日本には存在しないんじゃよ。

あのな、創価学会初代会長の牧口常三郎が捕まって拘置所にいるとき亡くなって、小磯國昭総理大臣が哀悼を捧げたか？

2代目会長の戸田城聖《じょうせい》が病死したとき、岸信介総理大臣が哀悼を捧げたか？　なんで3代目会長の池田大作さんだけなんじゃ？

そういうところを公平に見なければいかんのじゃ。

靖國神社に総理大臣が官職名で参拝とかをするのは、そもそも過去繰り返された慣習じゃし、世界各国の駐日大使もおのおの官職名で靖國神社で慰霊する慣習を全否定してくる日本限定のおかしな連中に対抗して、あえて官職名を使うのとはワケが違うんじゃ。

そもそも正月の伊勢神宮参拝は良くて、終戦の日の靖國神社参拝は駄目とかいうのはガバガバの理屈じゃ。

ただ別にな、ワシは岸田さん個人が「哀悼を捧げるな」と言っているのではない。

故人を偲《しの》ぶのは大切なことじゃ。

じゃが、それは岸田文雄という個人でやるべきことなんじゃよ。

アメリカを見るんじゃ。

バイデンさんも、かつてはトランプさんも、みんなSNSは公用アカウントと私用アカウントを使い分けているじゃろ。なんでアカウントが2つあるかわかるか。

それは岸田さんみたいなバカをうっかりやらんためじゃ。個人名で何を言おうが、それは個人の自由じゃからな。

そもそもワシは岸田さんのこれまでも気に入らないんじゃ。

岸田さんはな、広島に原爆を投下したB29搭乗員（ウィリアム・スタリング・パーソンズ。原子爆弾リトルボーイの起爆装置をB29機内で組み立てて起動させた人物）が眠る墓地には総理大臣名義で参詣したり、ベトナムで性犯罪をしまくった責任者が眠る墓にも総理大臣名義で参詣するが（ベトナム戦争で戦時強姦混血児である5万人以上のライダイハン問題などを引き起こした最高責任者の墓）、靖國神社には参拝せん。玉串料だけ。

広島への原爆投下や大量強姦は良くて、靖國神社は駄目という岸田文雄さんの思想は、ワシャ好かん！　ギギギギギギ！

以上の理由から、ワシはこれ以上岸田文雄さんが総理大臣を続けるのは難しいと思うがの。

ワシはこれからも靖國神社を参拝する。そもそも靖國参拝するな、とは人権の侵害なんじゃ。信仰の自由は人権じゃ。

なんで靖國神社に参拝せんのじゃ！

上川陽子外務大臣がアメリカ戦没者を祀《まつ》るアーリントン国立墓地を参詣した。

ここは岸田首相も参詣しているんじゃ。

アーリントン国立墓地には、前述の広島原爆投下メンバー、パーソンズ中尉らが祀られている。

パーソンズは原爆投下機のエノラゲイの機内で、ガンバレル式と呼ばれ左右に配置されたウラニウムの塊を爆薬で高速移動させ、中央部で核分裂させる「リトルボーイ」という原爆の起動装置を起動した奴じゃ。

あのな、「外交儀礼だから」というなら、アメリカの要人を日本の戦没者を祀る靖國神社に参拝させて初めて、外交儀礼と言えるんじゃ！　相互主義ではない外交儀礼なんかあるわけないだろ‼

上川さん、岸田さんはな、二人とも靖國には参拝せん。しかし、原爆投下メンバーの墓所には参詣する。こんな二面性があると、広島原爆を礼賛しているとしか評価できんぞ‼

こう言うとな、
①靖國参拝は政教分離に違反するから
②第2次世界大戦前の時代と日本は決別したからドイツでナチス幹部の墓に参詣しな

いのと同じ

と言う輩がおるから、ワシが分かりやすく解説するぞ。

まず、政教分離とは、国家権力が特定の宗教を勢いづけ、または教義を政策に取り入れ、かつ慣習により継続されていない新規性があるものをいう。例えば、公権力が地鎮祭（建築前に神主が八百万の神々に祈りを捧げる）にお金を出しても、地鎮祭は日本国憲法が公布されるより前から行われていた慣習じゃから、政教分離に違反しないと決まっておるんじゃ。最高裁でな。

県庁が公費で靖國神社に玉串料という寄付をすることは、別に戦前から慣習化されていない新規のことなので、政教分離に違反なんじゃ。

しかし、現職総理が靖國神社に参拝するのは戦前からの慣習じゃから、なんら政教分離に違反しない。

そもそも、正月に総理大臣が伊勢神宮に参拝するのは問題なくて、夏に総理大臣が靖國神社に参拝するのは政教分離だ、という理屈はＩＱ正規分布も心も左側の者にしか通用せんぞ！　バカタレが！

さて次に、

②第2次世界大戦前の時代と日本は決別したからドイツでナチス幹部の墓に参詣しないのと同じ

という屁理屈について説明する。

あのな！　ナチス政府はアメリカやイギリスなどの連合国と講和してないんじゃ！　消滅したの！　しかし、日本政府は憲法は変わったが戦前、戦中、戦後と一貫性を持って存在する！

なぜならば、日本政府は連合国と講和したからじゃ‼　小学校で習う話じゃろが‼　ナチスはヒトラーが自殺したあと、ヒトラーの遺言で、カール・デーニッツ（1891年～1980年）という海軍軍人がいわば「二代目総統」というべき大統領（国家元首）となり、フレンスブルク政府を樹立したんじゃが、わずか3週間で連合国から否定され、消滅した。

政府が消滅したのだから、ドイツには何もない。そして、この無の状態から、英米仏の占領地域に西ドイツが、ソ連の占領地域に東ドイツが誕生し、1991年に「ドイツ最終規定条約」を英米仏ソと西独東独の6カ国が締結し、現在のドイツ連邦共和国が誕生したわけじゃ。

わかるか？　ドイツは戦争の清算をしてないの！　なんか個人的に賠償請求してきた人にお金払った程度でドイツは講和さえしてないの！　だってナチス政府は消滅したから！　西ドイツも東ドイツもナチスに関係ないから！（という体裁）

しかし、日本政府はサンフランシスコ平和条約を締結し、講和しているんじゃ！　ナチスドイツ幹部の墓をドイツ連邦政府の為政者が墓参りできるわけないじゃろ！　現ドイツ政府とナチスが無関係ではないと見なされたら、天文学的な賠償請求になるだろが‼

でもな！　日本は講和しとる！　法で定めたんじゃ！　正々堂々、大日本帝国を継承しとるんじゃ！　権利主体としてな！

そもそも、サンフランシスコ平和条約は「戦犯の継続的拘禁」が定められたが、「戦犯とされた者の魂」についての規定などない！　法（条約）が霊魂に適用されるわけねえだろ！　バカか！！！！！　だから、靖國に戦犯などおらん！

この正論を日本政府が理解していないまま国際社会でくっちゃべるから、ナチスと日本が同列視されておる。

バカが政治をやるな！　ワシにまかせろ！　国の礎《いしずえ》となられた方々への崇敬なしに

未来はないぞ！

日本を豊かにしてくれればいいんじゃ！

1ドル150円を超えて、1986年8月以来の円安じゃ！　それでもまだ原発を止めて、化石燃料を円安なのに買いまくるのは狂っておるぞ！

そういえば、ワシが生まれる前、ワシのパパはテレビで『クイズ100人に聞きました』という番組のナレーターをしていてな、クイズに勝つとパパが「トラベルーチャンス！」と叫んでハワイ旅行があたるという内容じゃった。

それだけ円は弱く、海外旅行は庶民の憧れじゃった。

あの頃は好景気だから良かったが、いまは円安で原発止めて化石燃料購入費に凄《すさ》まじいお金を使い、原材料費高騰による物価上昇じゃからな。1980年代とはえらい違いじゃや。

岸田さん！　ワシらの暮らしを良くしてくれ！「インフレ」だから増税じゃとか脳みそ腐ったのが税調にいるようじゃが、それは需要拡大によるインフレの話で、いまみたいに単に製造コストが上がって価格上昇した場合に増税したら、国民はくたばってしまうぞ！

そこで、今日は昔の米ドルと日本円の話をする。

昔はな、1ドル2円の固定相場じゃ。理由は簡単でな、1円金貨には純金0・75グラムが含まれ、1ドル金貨には純金1・5グラムが含まれていたからじゃ。

日本は1895年に日清戦争の賠償金を金塊としてたくさんゲットすると、1897年に貨幣法を制定し、1円金貨をつくったんじゃ。

それまでは銀貨じゃ。

江戸幕府が強烈にバカなことをして日本にたくさんあった小判をほぼ全部外国に持っていかれたから、明治初期の日本は銀しかなくて金がなかったんじゃ。それがいまも「銀行」という理由じゃ。

さて、1ドル2円の固定相場から変動相場に変わったのはな、第1次世界大戦中にドイツ軍が潜水艦で無差別に船を撃沈すると言い出してな、金貨が海ポチャするから、世界各国は「金貨と交換できるチケット」を発行したんじゃ。外国為替じゃ。

これなら沈められても再発行できるじゃろ。だから金貨での直接取引を禁止したんじゃ。

でも、為替相場だと1ドル2・3円と少し円安になってな、戦争が終わってドイツ帝国がボコされて大人しくなり、日本政府は金貨での直接取引を再開したんじゃ。

どんなバカでも分かることじゃが、1ドル2・3円の為替相場で1ドル2円での金貨取引したら、みんな金貨で取引するよな。

おかげで日本銀行の倉庫には金貨がなくなった。ピンチじゃ。

そこで高橋是清《これきよ》（1854年〜1936年）というハゲの大臣がな、「金貨使うのやめます！」宣言をしたんじゃ。

いま、手元に札あるか？　日本銀行券と書いてあるじゃろ。

昔は兌換券《だかんけん》と書いてあってな、1円札を銀行に持っていくと、1円金貨と交換（兌換）できるという意味じゃ。

じゃから、ただの紙っぺらが価値を有したわけじゃ。これを金本位制という。それをな、止めると言ったんじゃ。

つまり、金貨と交換できない、ただの紙にすると言ったんじゃ（これを管理通貨制という）。

どう思う？　円の価値は大暴落！　1ドル5円まで円安が進んだ！　なお、この情報を事前に知っていた三井財閥は事前にドルを買っていて大儲けじゃ！（しかし右翼に恨まれトップが刺殺される）

こうして大日本帝国のドルと円は変動相場制が定着し、やがて日米戦争になるまで取引されていたんじゃな。

昔もいまも、日本が外国から買うのは化石燃料じゃ。あれじゃ、教科書では「石油を止められたら軍艦や戦闘機が動かないので日本は戦争をした」とか書いてあるじゃろ？

あのな、当時は火力発電なんだから、石炭とか石油とか止められたら送電が止まり、工場は止まり失業者だらけじゃ。半端ない数のな。国が死ぬ。

じゃから日本は戦争したんじゃ。

戦後日本がなぜ、平和だったかわかるか？　原子力があったからじゃ。

化石燃料が最悪なくても電気をつくり、工場に送電でき、労働者の雇用が守られたからじゃ。

だから、誰からも奪わず、奪われず、平和が続き、人口が1億2000万人を超えたんじゃ。なのに、いまはこの円安で火力発電をしまくり……岸田さん、良い政治を頼みますわ。

小手先の話はいらん。日本を豊かにしてほしいんじゃ！　できないならできる人に変わってな！

アイヌ文化ってほんとになんじゃろな？

杉田水脈《みお》さんをアイヌ差別だと非難する動きがあったな。

杉田さんはよくわからない格好をしている政治活動家を批判したんじゃが、突然それがアイヌ差別だという話になって、日本人はみんな困惑しておる。

ところで現代でアイヌだと自称する方々をみると、ワシはいつも思うことがある。ワシら日本人は３００年前の着物のデザインも、いま正月にワシら女性が着る着物のデザインもほぼ同じじゃよな。

でも、アイヌの民族衣装は１００年前といまでは、デザインや製法が全く違い、まるっきり新しい文化なんじゃな。伝統文化ってなんじゃろな？

また、ワシらの能や歌舞伎は数百年前から基本動作や演舞内容はほぼ同じじゃが、90年前に撮影されたアイヌの伝統舞踊と、3年前に撮影されたアイヌの伝統舞踊は、カスリもしないくらい違うんじゃ。伝統文化ってなんじゃろな？

まあ伝統文化は多少はみんな変わるし、突然新しい衣装や創作ダンスができても、それを伝統文化だとして、ほかの日本舞踊にはたいして補助金がないなか、なぜか年間60億円くらいの税金がアイヌの伝統文化保護に投入されているのは、日本が少数民族を大切にする素晴らしい国であることの証明だとしよう。

しかし、ワシが一番理解できないのはな、アメリカやカナダで先住民族を認定する際には、必ず遺伝子検査をするんじゃが、日本ではそれが禁止されていることじゃ。あのな。人種差別というのはな。その人種や民族ではないのに、その人種や民族になりすますことを言うんじゃよ。

じゃあ、どうやって日本は先住民族認定するのかというと、すでに先住民族認定されている人たちから認定されることなんじゃ。そこに「遺伝子の証明」は存在しないから、どこか別のところから突然来て、創作ダンスや創作衣装を身につければ、先住民族になり生活保護伝統バージョンをゲットというハックスキル（正当ではないやり方で利益を獲得すること）もあるかのう？

　この「先住民族の定義に遺伝子は関係ない」という日本独自の思想というか、土着文化というかわからんが、特殊な思い込みがよく反映されているのが、頭骨じゃ。

　19世紀から20世紀初頭のアイヌの人々は、長頭（dolichocephaly）という頭蓋骨をして、縦に長く後頭部がものすごく丸いかたちをしている人なんじゃが、現代アイヌの方々が、ダンスしているときに頭が上から見えるんじゃが、どうみても、過短頭（hyperbrachycephaly）という形にワシは見えてな。

　この長頭と過短頭とは、シルエットが慶長小判とピンポン玉くらい違うので、もう違いがすぐわかるんじゃよ。

　犬も頭骨がわかれていてな、シベリアンハスキーやドーベルマンは長頭犬じゃが、チワワやブルドッグは過短頭犬じゃ。この間に短頭と中頭がある。犬なら柴犬が短頭で、アイリッシュコーギーが中頭じゃ。

　人間だと、北欧やドイツ人には長頭が多く、イギリス人は中頭が多く、イタリア人は短頭が多い。過短頭は北東アジアの半島の方がほとんどじゃ。

　で、ハスキーとハスキーの組み合わせから、チワワが生まれると思うか？　そんなわけがないのは人も同じじゃ。

長頭の男女からは長頭しか生まれない。

短頭の男女からは短頭しか生まれない。

長頭と短頭の男女からは、中頭か過短が生まれる。

まあ、この遺伝の法則はややこしくて、父母どちらから遺伝子を受け継ぐかで、発現が変わるゲノムインプリンティングという特殊な法則がからんでくるから詳細説明は省くが、要するに「長頭のアイヌ」は現代にはいないんじゃよ。

なので、衣装や舞踊、頭の形を見て、ワシはいつも「？」と思うんじゃよ。税金が使われている以上、透明性が大切じゃよな。

ワシはな、日本人がおちんちんに水牛のツノでつくった容器を被《かぶ》せて、槍を持って半裸になって踊っても、マサイ族の伝統の継承者にはなれないと思う。アイヌも同じではないかな。

イギリスに留学したとき、現地で新しくできた友達に「これがイギリスにおけるアジア人の伝統よ」とまんまと乗せられて濃い化粧をしたこともある。世の中には実に軽いノリで伝統を使う人もいるんじゃ。

スパイ防止法をはよつくれ!

松沢成文参議院議員が「対外諜報機関設置とスパイ防止法の制定」を求めたニュースが話題になったな。

まあ端的に言ってスパイ防止法を嫌がるのは、嫌がる理由が嫌がる側にあるということじゃ。

でも、スパイとは何か実際にはよくわからない人がいると思うので、具体例を挙げて説明するぞ。

1992年3月、ソ連軍の情報将校だったワシリー・ミトロヒンという人が、ソ連に嫌気がさしてイギリスに亡命したんじゃ。このときにソ連から持ってきた文書をミトロヒン文書という。

それをイギリスやアメリカで分析したらな、とんでもないことが記録されていたんじゃ。

それは、日本の国会議員から官僚、外交官、そして朝日新聞など大手マスメディアの役員や新聞記者までもが、日本国内でソ連軍からの命令を受けて、軍事活動を日本人に向けてしていた事実じゃった。これ1990年代の話じゃよ。具体的には、ソ連に都合が良い情報を新聞に書いて、テレビで流して、日本人を洗脳する作戦じゃ。

これ、あまり日本国内では聞かないじゃろ。

でも、ワシが留学していたイギリスでは、もう「東日本大震災を知っていますか？」レベルの知名度でな、知らん人はおらん。

でも日本では知名度は低いよな？　スパイたちに都合が悪いから。

これがいまも日本がスパイに支配されている証拠なんじゃよ。

実はな、1985年6月に自民党が「国家秘密に係るスパイ行為等の防止に関する法律案」をつくり、衆議院で成立させようと頑張っていたんじゃが、例によって公明党や共産党などの大反対を受けて廃案に追い込まれたんじゃ。

結果、13歳の女の子が中学校からの帰り道に拉致されても、大々的に報道できず、「拉致は陰謀論」とか一般メディアで報道され続けたわけじゃ。

つまり、スパイを放置するとな、ワシら一般人の命にかかわるということじゃ。

実際、北朝鮮の核技術も、京都大学のある教授が日本で研究した技術をわたしたとして渡航制限を受けたこともある。

最近の話じゃ。

でもスパイ防止法がないから渡航制限だけ。刑務所行きではないんじゃ。

あのな、世界広しといえどもスパイ防止法がない先進国は日本だけじゃ‼　ギギギ！　他国では人殺しより悪い凶悪犯罪が、日本では犯罪にならないんじゃ！

自衛官のトップがロシアに潜水艦の暗号技術をわたしても、そのあたりの自転車を2回か3回盗んだくらいの罪にしかならん。

他国の軍隊は軍人を（スパイはみな軍人じゃ）日本のテレビ局や新聞社、大学、省庁に派遣して、好き勝手やる。

日本人の生活が苦しくなる政策をやる、宣伝する。

日本人が生まれなくなる政策をやる、宣伝する。

スパイの大勝利じゃろ。

ワシは猛スピードでＬＧＢＴ法を成立させることができて、スパイ防止法ができない理由はないと思う。

あるとしたらスパイが邪魔しとるからじゃ。

反対したり、慎重論を唱えるのは、みんな他国の軍事命令を受けているからだと思っても差し支えない。

イギリスにはスパイ防止法がある。

アメリカにもスパイ防止法がある。

ドイツにもフランスにもある。

それでみんな普通に生活しておる。

なんで日本にはないんじゃ？　スパイだらけだからじゃ！

憲法改正こそ日本経済復活の道なんじゃ！

政治というのは、「共感能力」が大切なんじゃ。いくら勉強してきても、他人の気持ちがわからんようじゃ、良い政治はできん。

昔な、江戸幕府に松平定信という人がおったんじゃ。この人がした寛政の改革でな、江戸の経済は悪化したんじゃ。

教科書には良いところばかり書いてあるが、それをちょっと解説するとな、昔、江戸と大坂では使っているお金の種類が違ったんじゃ。江戸は小判（金貨）、大坂は銀貨じゃ。

金貨と銀貨は直接やり取りはできないので、「両替屋」という商売があってな、実はいまのＦＸ（外国為替証拠金取引）と同じでデイトレ（一日の値動きの中で売買をする取引）がされていて、毎日、交換比率が変動してたんじゃ。

いまも株とかＦＸで使う「ローソク足」というテクニカル指標も、この頃に発明されたわけじゃな。

でな、いまもＦＸ業者が国の認可が必要なように江戸時代も、幕府が営業許可権を交付してな、それを「株」と言ったんじゃ。いまの株券の意味での株とは違い、営業許可証という意味なんじゃ。

で、両替商は誰もがやりたいため、この「株」がものすごい高価格になってな、両替商は自らの「株」を担保にしてお金を借りて経済を回していたんじゃ。

ところが松平定信（１７５９年～１８２９年）が株を担保にお金を貸すことを禁止してな、市場に介入したんじゃ。おかげで経済は大混乱じゃ。

話はまだ続くぞ。

そのちょうど約200年後にな、日本はバブル経済全盛じゃった。ところが、大蔵省銀行局長がな、「総量規制」といって、銀行は土地を担保にしてお金を貸してはならん、と市場に介入したんじゃ。

そんなん、無理な話じゃ。みんな土地を担保にしてお金を借りて、さらに土地を買ったり、建物を買ったりしていたのだから。

おかげで銀行はお金を貸せず、経済は止まり、バブル経済ははじけたんじゃ。この銀行局長は日本経済を破壊した功績で国税庁長官に出世したんじゃ。意味不明な国じゃな。

この2つの例はな、「市場が欲しているものを政治権力で潰す」ということをしたんじゃ。そりゃ中にはどれだけ市場が欲しいといっても、政治権力で潰すべきものがあるよな。覚せい剤とか、人身売買とか。

でも、そうじゃないものまで権力で規制すると、市場は大変な目にあうわけじゃ。

だから政治権力者は「共感能力」が大切なんじゃ。他人が何を欲しがっているのか、民衆が何を欲しているのかを共感する力、まさに「聞く力」じゃな。

ちなみにな、共産主義という考え方があるじゃろ。これは「市場価値」というものを全否定するんじゃ。

ワシらは「みかん」の価値を「美味しいか」「まずいか」で決めるじゃろ。どんなに原材料費が高くてもまずかったら無価値じゃ。

しかし共産主義は、あくまでみかんの値段は種籾《たねもみ》と肥料などの原材料費で決まる、と言い張るんじゃ。そこに共感はゼロじゃ。だから経済破綻する。朝は市場で食糧配給、夜は墓場で政治集会、苦しいな、苦しいな、じゃ。

いま日本経済は、ドイツにもイスラエルにも抜かれて、落ち目の真っ盛りじゃな。日本円は大暴落じゃ。これは、日本という国自体が、世界の人々に対して「共感する力」を失っているというわけじゃ。金利差だけじゃないぞ。

しかし、世界の人が欲しいものを日本が提供できたら、誰もが日本円を欲しがるから、円の価値は高まるわけじゃ。

いまの日本は世界に共感できておるか？

世界の人々が、高性能な日本車の製造技術や、高性能な日本製の防衛装備を欲しているのに、「輸出禁止」とかしていたら、それは共感能力がない、ということじゃ。

諸外国でダメなものは日本でもダメじゃが、諸外国で普通に売っている武器が日本ではダメというのはやはり共感の欠如じゃ。

日本経済をよくする方法はな、もっと日本は武器をたくさんつくって売ることじゃ。

そうすれば企業の雇用も増えて、給料もあがって、そのお金で消費が進むから経済はよくなること間違いなしじゃ。

「憲法改正　高収入」

というわけじゃな。

みんなを高収入にする政治をワシは目指すぞ。

岸田さん、国民を舐めすぎじゃ！

岸田政権の支持率の下落が止まらん。なぜ岸田政権はダメなんじゃろな。

まぁワシも衆院選に出て落選したことがあるからわかるんじゃが、落ちたときに「やーい落ちた」とか言われるとマジむかつくから言わないがな、じゃが、「働く世代から増税して働かない世代にお金をあげる」という政策を「減税」などと言っても、よほどのバカしか騙せんじゃろ。

基本的に国民を舐めすぎじゃ。

しかもなんじゃ、2023年10月に実施された高知県補欠選挙で、「（自民党公認の）候補者はお酒が好きです」という選挙アピールは。「私もお酒好き！」などと有権者の共感を得て得票するとでも？

選挙参謀にどんな輩を採用したか知らんが、生前の安倍晋三元首相から直々に自民党公認候補を約束されていたこのワシを「だって安倍さん死んだじゃーん。白紙ね！」と、かまされたワシの立場から言えば選挙を舐めすぎじゃ。

前置きが長くなったが、岸田政権は「新しい資本主義」と言って、計画経済をやろうとしてるんじゃ。プチ共産主義みたいなやつじゃ。

でもな、ハイエクという偉いおっさんがな、「計画経済をやる政権は絶対失敗します」という理論を発表してノーベル賞をもらっとるんじゃ。

なぜならばな、政府は「市場の情報」を持ってないからじゃ。こう書くとわからんだろうから、ポケモンカードで説明するわ。

ポケカは紙じゃろ？　でも、レアカードがあり何万何十万円もするやつがあるじゃろ？　どのポケカが高価格なのかが「市場の情報」じゃ。

でもな、官僚も一般人も、どのカードがレアなのか知らんじゃろ。適正価格を知ってるのはポケモンカードマニアじゃ。それで自由取引ができる。いい年してポケモンカード集めているキモオタらも自由経済には絶対必要なんじゃな。

しかし、これを官僚にやらせると価格を知らんから何十万円もするカードをチリ紙扱いしてしまう。つまり、正当な価格での取引の機会が失われるんじゃ。

計画経済はこれを至るところでやってしまう。だから経済破綻するんじゃ。でもな、ケインズっちゅうオッサンが、計画経済も成功する場合があると言っている。それは政府が市場の情報を知っておるときじゃ。

それはどんなときか？　戦争などでワシらの願望がめちゃくちゃ単純化したときじゃ。明日食うもんがないのにポケモンカードが欲しいとか言う頭の狂ったヤツはおらんじゃろ。

つまり、「メシ！　フロ！　ネル！」レベルに需要が低次元化すると計画経済はうまくいくんじゃ。

例えばな、いまガザ地区の人々には水がない。だから飲んで腹壊して死にかけるような水でなければ何の水でも有難いし、とにかく水が欲しいんじゃ。

でもワシらは違うじゃろ。

南アルプスの地下1000メートルから湧き上がった水を炭で濾過《ろか》して摂氏2度に冷やして風呂上がりに綺麗なガラスのコップで飲みたい、とか、かなり複雑化しとるじゃろ。

この一つでも欠けたら「じゃあ、いらねーよ」と需要自体が消滅するじゃろ。

だから政府がな、税を多めにとって配布してもな、本当に必要な人ではなく、預金15億円あるが年収100万円の人も「低所得者」としてバラマキをやるんじゃ。

岸田首相の所属グループの先輩にな、池田勇人という首相がいてな、焼け野原で「とにかく雨風を防げる家が欲しい」とか切羽詰まった需要に対して計画経済をやってな、大成功したんじゃ。

じゃが、いまはそんな需要ある？　あるわけねえじゃろが！　ギギギギギ！

デザイナーズ住宅とか、めちゃくちゃ需要は複雑化している。それを政府が把握できるか！

それこそ、アマゾンのユーザーがどんなに下品なAVを買おうとしたか、何十秒くらい迷ったか、全部記録されて「おすすめ」に翌日出てくるようにな！

政府が国民を24時間監視していつなにをしたか記録しないとな、うまくいかんのじゃ！　そんなディストピア、無理に決まってるじゃろ！

岸田首相は何かとてつもない勘違いをしておる。それが出たわけじゃ。補選結果としてな（自民党公認候補は大敗した）。

みんな育児に時間を使いたいのに働いて血税を払っておる。それを政府は忘れてはいかん‼　絶対にいかんのじゃ！

新型ミサイルがいつ飛んできてもおかしくないぞ！

2023年11月22日晩の「Jアラート」は事実上の「空襲警報」じゃ。「撤退」を「転進」、「全滅」を「玉砕」と言い換えた昔の悪い癖《くせ》を現代に復活させてはいかんのじゃ。

みんな不安な気持ちになったじゃろな。

そこで「撃墜できる核ミサイル」と「撃墜不可能な核ミサイル」について解説する。

まずな、核ミサイルはいままで、核弾頭を先端にくっつけて飛ばし、ある程度の高度になったら弾頭を取り外す仕組みなんじゃ。この核弾頭を「人工衛星」とか嘘つく場合もある。

すると、加速された状態で取り外されるから、そのまま落下してくる。核弾頭自体は推進力がなく落ちてくるだけだから、これで弾道計算ができて、落下地点がわかるし、迎撃ミサイルで地上に落ちる前に撃破することもできるんじゃ。

じゃあなぜ、今回も撃墜しなかったのか。

まず、弾頭が落ちる場所が海だと計算できた場合、撃破すると破片が地上に落ちてくるじゃろ。

ほか、迎撃ミサイルの発射場所も敵にバレてしまうかもしれないし、何より一発何十億円する迎撃ミサイルを複数使って落とすわけじゃから、お金がもったいないよな。弾道は切り離されたら、もうあとは落ちるしかないので、海に落ちれば安全だという判断なんじゃが……。そうは言っても、迎撃しないと国民は不安じゃよな。

昔、日本がアメリカと戦争しとった頃、日本はB29を余裕で落とせる性能の高射砲も戦闘機もたくさん持っていて、実際、500機くらい叩き落として、また傷を負わせて帰路に海ポチャさせたり、着陸不可能にさせたりして、2700機以上を破壊した。欧州戦線と比べてもかなり奮戦したんじゃが、でも戦争が終わってみると、『火垂るの墓』みたいに日本は無力だったたと、国民のほとんどは思ってるよな。

これはな、途中で戦力を出し惜しみする作戦をしていたからなんじゃ。アメリカ軍らとの本土決戦に備えて、あえて迎撃しない期間があってそのまま終戦になったから、ほとんどの人は「日本はB29を撃墜できないんだ！」と思ってしまったわけじゃな。

しかし、例えば長崎に原爆を落としたB29の機長本人の手記を読むと、最初小倉が目標で、なんか地上で煙幕を焚いているのか雲が出てきたが、原爆投下には全く問題なし、と判断して爆撃コースに入ったが、迎撃機が接近してくるという日本の無線連絡を傍受して、恐怖でたちまち小倉から逃げ出し、帰路にあった長崎には迎撃機がいなかったから落とした、と書いてあるんじゃ。

まあ実際はそうでも、やはり国民感情からみると、日本は迎撃能力がないのでは、と思ってしまうよな。

国民の気持ちも含めて「国防」じゃから、政府は計算だけではなく、なんらかのアクションをとるべきであるとワシは思う。

さて、ここからが本題。

いままでは撃墜可能な北朝鮮の旧型ミサイルについて説明した。

しかし、いまは撃墜不可能な新型ミサイルがロシアに配備されているんじゃ（もしかしたら中国にも）。

それはアヴァンガルド型といい、発射から着弾までずっと加速し続ける核ミサイルじゃ。マッハ21以上になると見込まれている。撃ってから炸裂まで数分かそこらじゃ。

これはある程度軌道を変えることができると見込まれるため、どこに着弾するか正確な計算はできない。

そして、この新型ミサイルを迎撃する技術は世界のどこにもない。アメリカにもないぞ。

ようやく2022年から迎撃方法の研究がスタートした。つまり、撃たれたら終わりなのが現実じゃ。

でも、アメリカに撃つと核報復されるから相当な覚悟がいるが、日本に撃ち込んでも、アメリカが日本のために核報復してくれるかわからないよな。

日本のために核戦争をしてくれる保障はどこもない。

アメリカは2022年、ロシアが悪さしたらロシアの子分のベラルーシに核を撃ち込むかも？　みたいな話をした。

同じ理屈で、アメリカと対立する国はアメリカの子分の……ということもあるかもしれない。

あのな、日本国憲法が制定された当時、核は時速数100キロの爆撃機が何時間もかけて運搬する攻撃方法しかなかったが、いまは数分でかつ威力も半端ない。

日本国憲法は、数分で東京が地図から消える軍事技術を全く想定していないんじゃ。

いまのままでいいのか？　安心できるのか？

ワシが言いたいのはそこじゃ。ワシは子どもたちが安全に暮らせる日本にしたい。

5章

日本が日本であるために、これをせにゃダメじゃや！

――子供たちが安全で豊かに暮らせる国にしような！

震災につけ込んでふざけた犯罪《マネ》をするな！

石川県の馳浩《はせひろし》知事が「被災地で窃盗が多発！」と注意喚起をＳＮＳにポストをした。人が困っているときにつけ込み悪さをする輩は10倍増しの罪の重さで刑務所にぶち込む刑法改正をすべきだとワシは思う。

大震災に乗じてデマを流したり、悪さをする奴らはいつの世にもいる。

いまから１０１年前、東京と神奈川を中心に起きた関東大震災では、なぜか人がいない倉庫地帯（火の気がない）からも火災が発生し、大惨事になった。震災後の放火魔がたくさんいたというわけじゃ。

そこで人々は自警団をつくって女性や子どもや障害者を守っていたわけじゃが、戦後、この自警団が「朝鮮人の方々へ不当に加害を加えた」という話が出てきた。これはいまも言われている。

実は日本政府がなん度も調べて、

「裏付ける資料は見当たらない」

と閣議決定しているが、まだ言うぞ。

あのな！　関東大震災当時も現在も、殺人罪を処罰する法律は同じ刑法（明治40年法律第45号）なんじゃ。

現代の裁判でも明治時代の判例が使われる中、大正時代に起きた出来事に対して、「裁判はなかったが殺人罪はあった」

などと言うのは陰謀論そのものじゃろ！

ワシが調べたところ、「朝鮮人が被害者だった」と事実認定した下級審の裁判例があったが、判決を精読すると「相手方が朝鮮人であること自体が被告人の攻撃動機」という記録は存在しなかった。

「襲撃してきたと思い、正当防衛のつもりで殺害した相手方が結果として朝鮮人だった」

という事実だった。

難しい法律用語じゃが、これは「急迫不正の侵害」に対して「違法性阻却事由の認識」をもって「有形力の行使に及んだ」という。

事実として「襲撃」がなかったとしても、被告人の認識において「襲撃がある」と誤認したら、誤想防衛という。そして、危険を回避するに相当な程度を越えてしまった場合は「過剰防衛」という。

この2つをあわせて「誤想過剰防衛」という。罪の重さも刑法第36条第2項によって減刑される。

誤想過剰防衛とは何か。「勘違い騎士道事件」（最決昭和62年3月26日）を説明したい。在日イギリス人の空手家が夜10時ごろ歩いていると、酔った男女がいた。男女がふざけ合って女が地面に尻もちをつき、「ヘルプミー」と言った。

在日イギリス人が近づくと、男は両手こぶしを前に出して、ファイティングポーズをしたため、女が強姦されかけていると認識して、回し蹴りを男の顔面に当てた。男はその場に倒れ、脳内出血で8日後に死亡した。

これは、事実は酔った男女がふざけただけで、そこに「急迫不正の侵害」（性暴力）は存在しない。

しかし、その事情を知らない第三者からみると、性暴力だ！　との認識をもたらす外観があった。

結論として、在日イギリス人には懲役1年6カ月、執行猶予3年となった。これが誤想(急迫不正の侵害は事実として存在しないが、存在すると錯誤した)であり、過剰(ほかに回避手段があるのにそれをせず、あえて攻撃力の高い選択をした)であることに違法性が認められるも、動機形成においては「女性を守りたい」という「善」であるため減刑されたんじゃ。

関東大震災における朝鮮人への攻撃とされる犯罪の量刑が低いのは、「朝鮮人」を殺害したいとする「悪」が動機ではなく、「襲撃から身を護りたい」とする「善」が動機だと認定されたからじゃな。

事実として襲撃がなく、誤想だったとしても、その認識自体に責任はないのである。なぜならば、「勘違いされるような外観」があったからだ。

関東大震災後の朝鮮人攻撃はヘイトクライムとして表現されているがな、ヘイトクライムとは、終戦後の朝鮮半島で日本人妊婦と幼児が軒並みやられたように(『竹林はるか遠く』ヨーコ・カワシマ・ワトキンス)、まず逃げ足が遅く反撃できない弱者から殺害されていくことを言うんじゃ! なぜならば、攻撃を加える理由は人種や民族といった「属性」が動機であるからじゃ!

現代でも多くの外国人犯罪者が日本人を殺害しているが、これは「たまたま」犯罪の相手方が日本人であったというだけで、日本人殺害を動機にしたものではないとする弁護と同じ理由じゃな。

在日外国人が日本人を殺害したときは「たまたま」と言い、その逆であれば「ヘイトクライム」というのは人種差別じゃ！　差別をやめろ！　デマに騙されないようにな！

日本によるアジア解放は幻想でもなんでもない！

十二月八日は、日本があのアメリカを攻撃した日じゃ。巷《ちまた》でたくさん議論されているが、ワシの歴史観を述べるぞ。

まず、この戦争の目的を語る時、日本人の敵はこの戦後79年間、延々と、

「日本は石油がなくて軍艦や飛行機を動かせなくなるから切羽詰まって攻撃した！」

「日本が欧米に代わってアジアを支配したかっただけ！」

という2点を主張している。

しかし、現実として次の事実は変わらない。

それは、化石燃料がなくなれば発電が止まり、日本経済が破綻《はたん》する損害（失業率など）の程度を「軍艦や飛行機」という矮小《わいしょう》な問題にすり替えていること。そして、当時のアジアはタイと中華民国を除き、欧米の植民地にされた地域のアジア人には基本的人権が認められていなかったことじゃ。

この二つが戦争の動機となった。これは歴史的事実じゃ。

日本人を憎む勢力（日本語を話す）は、日本によるアジア解放を幻想だと言い続けるが、実際に「苛烈《かれつ》な人種差別が存在したこと」と「大日本帝国が国際社会に対して人種差別の撤廃を目的に戦争をしたと宣言していること」は事実であり、誰も否定できない。

そう言うとな、必ず「でも占領地域でオランダ人女性を性奴隷にしたじゃん」とか、「現地人を殺したじゃん」とか言ってくるやつがいる。

あのな、たくさん人がいたら悪さをするのもいるに決まってるじゃろ。

アメリカだって日本を占領したとき、女子高に突入して東京都品川区の女子高生を1クラス分トラックで連れ去り性奴隷にしたたし、歩いてる日本人で狩猟を楽しんでいたわい。

アジア占領下の日本軍人がした犯罪は裁判にかけているが、日本占領下のアメリカ軍人がした犯罪はいまだ裁判にかけられていないんじゃ。

歴史と国家のベクトルについて語っているときに個人の犯罪を持ち出すな。

ウルトラマンが怪獣を倒すため戦っているのに、ウルトラマンに踏み潰されて死んだ人がいるからウルトラマンは正義の味方ではなく地球侵略者だとか、しょうもない理屈を言うな。

日本が戦争を起こすまで、中華民国とタイ王国を除くアジアは植民地支配され、人種差別され、人権は否定されていた。

しかし、日本が戦争をして白人を追っ払ったら、人種差別が悪という認識が普及し、アジア人には人権があることになった。

国際連盟の発足当時、日本が人種差別禁止を主張したら反対したのがやつらだからな。命と命のやり取りをして、決着をつけねばならなかったんじゃ。

そして、ワシがあの戦争について強く言っておきたいことは、あの戦争が人種差別を廃止する最後の機会だったことじゃ。もし日本が戦争しなければ、人種差別はなくならなかった。

人種差別ってわかるか？

日本は名誉白人になったかもしれんがな、もし、日本が戦争をしなかった世界線で、お主がフィリピン人の彼女と外資系ホテルのナイトプールに行ったならばな、ホテルの人から、

「カラード（色つき）の方のご入場はご遠慮いただいております」

とか言われるはずじゃ。

マクドナルドに行っても、カラード席がある。映画館に行っても、バスに乗っても、公衆トイレも「カラード用」で分けられる。

実際、日本が大戦争を起こす前のインドネシアはそうじゃった。

ワシはな、大東亜戦争とリンカーン大統領は同じだと思う。リンカーン大統領は、アメリカ連邦最高裁が「黒人の人権は認められない」という判決を下したから、「裁判所に従う」ではなく、「最高裁含めてぶっ殺してやる！」となり、意見が違う人々を皆殺しにして、黒人奴隷制度を廃止したわけじゃ。

あれな、もしリンカーン側が南北戦争で負けていたらどうなるか想像してみい。

それがいまの日本の姿じゃ。

ワシは今日、人種差別廃止のために戦争を始めた父祖たちを誇りに思う。その代償として、日本は全ての海外領土と人命350万人を失い、焦土になり、いまもマスコミや官僚は占領下にあるが、父祖たちは今日のアジア30億人の人権を守ったのじゃ。人種差別廃止のため、慶應義塾から、早稲田大学から、東大から特攻隊員が志願して、南海に散華《さんげ》し、靖國の英霊となったのじゃ！！！

ワシらのために！

未来に生きるワシらの人権のために！

ありがとう。

ありがとう。

ありがとう。

それしか言えんはずじゃ。

それが、十二月八日。開戦記念日、いや、アジア解放記念日なんじゃ。

兵隊さんが戦争で命がけで戦ってくれたから、いまの幸せがある。安心して子どもを女が産める国がある。

それを忘れてはならん‼

私利私欲の政治はダメじゃぞ!

世間では岸田文雄首相のことを増税メガネとか増税クソメガネとか言う人がおるようじゃのう。

ワシはそういう言い方の是非はともかく、生活が苦しいのに税金や社会保障料で持っていかれたらオシャレな服も車も買えんし、高級な食事にも行けん。若者は恋愛に苦労して危険水準の少子化になっておるというのに、やっと出た少子化対策がブライダル補助金制度とか言われたら嫌な気持ちになるのもわかる。

ワシもいま子どもを5人育てておるが昔と違って扶養控除もなくて、国民は減税を求めているのに、どうしても増税して分配する「社会主義的」な政策が好きらしく、これでは支持率があがらんのも当然じゃ。

岸田首相の先輩にあたる宮澤喜一首相というのが昔おってな、支持率は10・4%だったんじゃ。

それでワシが思うのは、「民のかまど」というお話じゃ。

むかしむかし、天皇陛下が直接政治をされていた頃、天皇陛下が高い山に登られてな、下をごらんになられたんじゃ。すると飯時なのに、煙が少ない。みんな貧しくて、メシ抜きだったんじゃ。

これはいけないと天皇陛下が思われてな、3年間、税金なしにするという勅令を下されたんじゃ。

そうしたらな、皇居はボロボロになって雨漏りがしてな、天皇陛下はそれでも屋根を直さず、桶をおいて我慢なさってな、税金なしを続けられたんじゃ。

やがて飯時にたくさんの煙が見えるようになって、ようやく日本が豊かになったんじゃ。

ワシはな、天皇陛下と何ら血縁がない岸田首相に対して同じことをやって欲しいとはいわん。

でも日本の首相の中には、天皇の子孫がおったんじゃよ。

細川護熙《もりひろ》首相は清和天皇の子孫、近衛文麿首相は後陽成天皇の子孫、西園寺公望《きんもち》首相は東山天皇の仍孫《じょうそん》といってな、まあかなり近い子孫じゃった。

ワシは、政治に大切なのは、やっぱり「仁」だと思う。おもいやり、いつくしみじゃな。それがない私利私欲で選挙に出て税金の使い道を決めるから、悪いことになる。政治のあり方を決めるのはワシら国民だということを忘れずに、言いたいことを我慢せず、積極的に政治に関心を持とうな。

まずは、みんながいま政治に求めていることを書いてみよう。別にひと言でええんじゃ。それが「万機公論に決すべし」という、日本政府が存在する理由なんじゃ!

最高裁よ、ワシらに迷惑をかけるな!

性犯罪者の前科の有無を、保育園や塾や学校など子どもを相手にする業種に採用するときデータベース化して調べられるようにしたいんじゃが、1908年につくられた刑法の規定に「刑の執行を終えてから10年で効力はなくなる」、つまり、前科が消える規定があるんじゃ。

昔の10年は平均寿命が50年未満じゃから長かったし、食べ物も悪いから老いたら性欲なんてなくなったかもしれんが、いまは健康な人が多くて還暦すぎた性犯罪者もたくさんおる。

じゃから刑法を改正して、この前科が消える期間を長くすればいいのじゃが、そうすると困る人がおる。国会議員にも前科者が少なからずいることはみんなも知っておるよな。

かと言って性犯罪だけ前科が消える期間を長くすることも法の下の平等から難しい。そこでワシのアイデアじゃが、子どもを相手にする業務に採用するとき、前科調書へのアクセス権を復活させればいいんじゃよ。

というのもな、昭和の時代はいまと違って前科者が前科を隠して就職するのはほぼ不可能じゃった。

なぜならば、弁護士に依頼したら、サクッと個人の前科の有無が出てきたからじゃ。前科は戸籍謄本の管理と同じところでやっておるからな。

ところがな、昭和の終わり頃、自動車教習所にそれをやられてクビになった男がな、そんな気軽に前科照会ができるのは間違ってる！　と裁判所に訴えて、京都市が前科の情報を提供したのは不法行為であると最高裁が認定してしまったんじゃ（最判昭和56年4月14日）。

またしても最高裁がワシらに迷惑をかけていたんじゃな。

これでロリコン前科のあるキモい性犯罪者らが、幼稚園や小学校に潜《もぐ》り込めるようになったのが平成ぐらいなんじゃな。

まあ、確かに人は反省するし、犯罪といっても男同士の殴り合いで両者傷害罪とかいろいろあるから、一概に論じることはできないが、「人に言える犯罪」と「人に言えない犯罪」が世の中にはあるよな。

じゃから、データベースもいいが、児童関係の就職には、前科を弁護士会経由で照会する義務をつくればいい。

記録自体は紙で何年経っても残っていて破棄されないからな。あくまで前科の法的効力がなくなる、という話じゃ。

で、性犯罪の前科を隠して履歴書を出していたら、経歴詐称じゃから不採用じゃ。子どもを相手をする人が「人に言えない前科」って嫌じゃろ……。

最高裁判所の裁判官の決め方がおかしいじゃろ！

3章で取り上げたように、トランスジェンダーに関する「?・?・?」な最高裁の判決が問題になったじゃろ。そこで、ワシが日本やイギリスの最高裁のあり方について解説するけぇな。

１９３頁の写真はワシがイギリスで生活していたときの友達とのワンショットじゃけえ、見た通りいろんな人がおるじゃろ。じゃから、いろんな「考え方」があり、日常生活で大小トラブルが絶えん国じゃった。

トラブルを解決するのが裁判所の役割じゃが、どんな方法で解決するのかには、２つの考え方があってな、それは「理性」か「経験」かっちゅう話じゃ。

じゃが、こう書くとようわからんけぇ、より簡単に書くとな、

「頭でよく考えたら誰でもわかるじゃろ？」

というやり方と、

「過去こうした方が良かったから、いまもこうするんじゃ」

というやり方があるんじゃ。

小難しい言い方をすると頭で考えるのが大陸法と言い、過去の例に習うのが英米法と言うんじゃ。

ぶっちゃけな、トラブル起こすヤツは頭でよく考えないからトラブル起こすんじゃ。

2013年8月13日、ベンジャミン・ディズレーリ英首相が、ビーコンズフィールド伯爵兼ヒューエンデン子爵に叙せられたとき下賜された邸宅と庭園（ヒューエンデンマナー）で撮影。多種多様の人種がいた（写真提供：筆者）

じゃがな、「頭で考えたことはいまも同じ」というてな、東ローマ帝国の皇帝ユスティニアヌス帝が西暦528年に定めた「ローマ法大全」というのをな、近代のフランスやドイツが採用して、それが明治の日本に持ち込まれ、いまも日本の法律の原型になっておるんじゃ。

しかし、イギリスはこれを拒絶し、イギリス独自の歴史と伝統に則った裁判をするんじゃ。アメリカも同じじゃ。

日本も江戸時代まではそうじゃったが、明治維新で幕府が否定されたからローマ式になったんじゃな。

で、イギリスは慣習に照らして裁くから、最高裁はじつは最近まで存在しなかったんじゃ。代わりに貴族院が判決を下した。貴族院は、一代貴族といって功績のある人を貴族にした議員と、世襲貴族といって代々の貴族の混成じゃ。

最近サンドイッチ食べなかったか？　あのサンドイッチを発明したサンドイッチ伯爵の男系子孫も現役の貴族院議員じゃ。

つまり、頭で考えるより、貴族の家柄は古い伝統があるから、その伝統に照らして善悪を考えるということじゃな。この貴族院の判例が、現在もカナダ、オーストラリア、ニュージーランドの裁判所も拘束しておるわけじゃ。

そりゃあ、変な判決は出にくいよな。

ところが日本は一応過去の判例を基準にするが、イギリスとは違い、かなり判例は変更されるんじゃ。頭で考えとるからな。

しかも、最高裁の判事は裁判官の経験がない人でもなれるんじゃ。具体的には、大学教授、外交官、弁護士、検事の枠がある。

わかるか？　検事や弁護士はともかく、人生で一度も裁判経験がない人でもなれるんじゃ。

トランスジェンダーについてえげつない判決をした１人に行政法の大学教授がおってな、ワシが行政法を勉強するとき、その教授にするか、その教授のさらに教授の塩野っていう人にするか迷い、まあ結局２人の教科書を買ってしまったから残念な限りじゃ。

裁判官とは大変な仕事でな、ワシが九州大学に通っておった頃、よく福岡地裁の裁判を傍聴してな、大麻所持の被告人は「すみませんでした」とちゃんと謝っていたんじゃが、覚醒剤の被告人は「あべらぶしぶだじゅげほがぼぉ‼　ぶぼぉ！！！」とか意味不明な供述をしていてな、裁判官が「そうですか。よくわかりました」と真顔でコメントしてて、思わず傍聴席で笑ってしまい、次笑ったら出ていけと注意されたことがあるんじゃ。

話が横にそれたな。

それでな、ワシが言いたいのは、やっぱり最高裁判所の裁判官の決め方がおかしいということじゃよ。一度任命したら70歳まで、そのままだしな。

じゃから、密室で決めるのではなく、国会で経歴などをオープンにしてな、承認決議が必要じゃと思うんじゃ。その人がどんな政治思想かもわからんからな。最高裁判事は国会で承認してから！　みんなもそう思わんか？

司法も外交も衝動的で、感情的すぎるんじゃ！

最近、日本がなんかおかしいじゃろ。これをワシの視点で思ったことを、批判を恐れずに書くぞ。

それは「非定型発達の増加」と「社会混乱」じゃ。

最初に「実子連れ去り」という問題を例にして説明する。

実は、日本では親がもう一方の親と喧嘩して、子どもを巻き添えにして連れ去っても、警察は動かないし、むしろ取り返したりすると逮捕される。

でも、欧米では子どもの連れ去りは凶悪犯罪だから、長く刑務所に入れられる。

２０１９年には、アメリカ人の我が子を〝誘拐した〟日本人の母親が、東京家裁前で首を刃物で刺されて殺されたんじゃが、殺したアメリカ人の父親は裁判で無罪になった。これは明らかに国際問題になるのを回避した措置だとワシは思う。

アメリカの法では、児童誘拐犯はテロリストじゃが、日本だと親が我が子を誘拐するのは合法じゃ。

しかし、誘拐された子はアメリカ人じゃから、アメリカから見たらテロリストが討ち取られただけなんじゃが、日本から見たら殺人じゃ。

この整合性をつけるため、一応起訴して裁判にかけたんじゃが、それなら最初から誘拐した時点で捕まえておけば、母さんは死なずに済んだし、父さんが殺人罪で起訴されることもなかったよな。

日本では毎年約1万2000件の面会交流申立がある。誘拐され、自分の子に会えなくなった人が申立しておる。

ところが奇妙な話があって、両親が共同して子育てするのに反対の人たちは「（世界で日本人だけは）喧嘩別れした親が子どものために協力できるはずがない」と言うんじゃ。

裁判所もこの意見を肯定しているぞ。

諸外国では離婚しても協力し合い子育てしているが、日本人だけは人種的または民族的にそれが不可能であると裁判所が主張しているわけじゃな。

もちろん科学的根拠は一切ない。

客観的に言えることは「衝動を制御できなかった人を国家がどう評価するか」という話じゃ。

諸外国は「ルール違反」として厳しく処罰するが、日本は「仕方ない」となる。

これがワシから見ると定型発達と非定型発達の違いなんじゃ。

定型発達は、理性があり、衝動や感情のコントロールができる。

しかし、非定型発達は理性がないか、未熟で、衝動をコントロールできず、感情を全て我慢したり（あとで爆発する）、曝《さら》け出すんじゃ。

これを昭和初期の日本の外交に当てはめるとな、英米から無理難題を突きつけられ、我慢して我慢して我慢して、最後に一気に爆発して武力行使になるんじゃが、ワシはこれを「非定型発達外交」と呼んでいる。

定型発達なら、無理難題を言われたら、そのとき、不満を述べて相手の共感に訴え、またはこちらも同じく無理難題を提案したりして対等な立場を築くんじゃ。

アメリカから「日本は満洲から出ていけ」と言われたら、「日本はすでに多額の資本投下を満洲にしているのに無理だ！　戦争しかない！」と衝動や感情のコントロール

ができなくなるんじゃなくて、

「わかりました。満洲から撤退します。ただし、アメリカがフィリピンから撤退した後に」

とかやればいいのに、相手の言ってることを真に受けてしまうんじゃな。非定型発達は。

現代でも外務省は、捕鯨について欧米の言うことを真に受けて反対しているが、本来ならば「わかりました。捕鯨をやめます。欧米が鯨油のためにこれまで殺してきた数の鯨を養殖して放流したら」とか、黒白ではなく曖昧な感じにすればいいのに、しないじゃろ。

なんか日本は、非定型発達が目立つんじゃよ。婚姻に無関係な性交も性衝動じゃから非定型じゃぞ。

だから、司法でも外交でも理性を前提にした判断がなく、衝動や感情のコントロール不能を前提にする。

2001年に調査された非定型発達人口は、アフリカのエチオピアだと1・5%なんじゃが、日本だと6%じゃ。

これがアメリカだとさらに高いんじゃが、アメリカは発達に問題があると政府にかかわりを持てないシステムがある。アメリカは士官学校の受験資格さえ、下院議員推薦書が必要で、17歳に高いコミュニケーション能力を求めるんじゃが、日本は非定型が大得意な「無意味に同じことを繰り返す」特性で筆記試験を突破する。

そりゃ戦争も経済もアメリカに敵《かな》わないよな。定型と非定型が争えば、勝てる見込みがない。

まずは、非定型寄りな政策や判決や外交を定型発達側から批判していくことじゃ。何も考えずに特定の業界と癒着して補助金政策をするのは空気を読まなさすぎる。定型発達のみんなが力を合わせて政治や司法から非定型寄りのシステムを改善していこうな！

現役自衛官が靖國神社に参拝して何が悪い！

現職自衛官の幹部が公用車で靖國神社に参拝したら、毎日新聞などが批判した。その理由が、

「防衛省次官通達に違反し、憲法違反の恐れ」

というものじゃ。

あのな！　憲法解釈ができるのは内閣法制局！　憲法判断ができるのは最高裁判所！　事務次官は憲法解釈も憲法判断もする権限がない！　アホか！

そもそもな、自衛隊が「神社」に関してセンシティブになったのは、「自衛官護国神社合祀事件」というものがあったからじゃ。

これは1968年、訓練中に殉職した自衛官をな、隊友会（自衛隊退職者の社団法人）が殉職自衛官の故郷、山口県護国神社への合祀（祭神にすること）を推薦し、自衛隊地方連絡部が名簿情報などの事務協力をしたらな、その殉職自衛官の妻だった女が「憲法違反だ！　勝手に合祀するな！　私は傷つけられた！」と怒り出して、自衛隊などを訴えた事件じゃ。

でもな、殉職自衛官本人に生前の信仰は特になかったし、何より故人のお父さんが「息子が護国神社の祭神になる」とたいそう喜ばれてな、結局、最高裁は女に対して「嫌でもそれは受認限度の範囲」という判決を出し、「問題ない」という結論になったんじゃ。

しかし、当時はいまと違ってな、共産主義者がめちゃくちゃ多く、世情が悪いときじゃった。

だから、統合幕僚通達（昭和38年7月31日）では、「隊員個人の信教の自由を尊重すること」などを定め、防衛庁事務次官通達（昭和49年11月19日）では、「合祀を推進するよう働きかけるな」とか「宗教行事に自衛隊の音楽隊は参加するな」と定めたんじゃ。

いずれも「社会通念上相当な範囲」という前提があり、「一切の宗教性を排除しろ」というものではない‼

あのな！　宗教性が一切駄目なら、自衛隊内でも西暦使用禁止じゃろが！

西暦2024年とは、キリストという教祖が（死んでも復活するなど宗教エピソードをふんだんに持つ）生まれたときからの概念で、宗教そのものじゃぞ。しかし、普通に使うよな？

というか自衛隊が使っている「90式戦車」とか「10式戦車」という名称は、西暦の下2桁じゃ！　これも政教分離違反か？　うん？？　どうなんじゃ！

つまり、「政教分離違反」とは「社会で広く受け入れられている慣習」を否定するものではない。だから、現職自衛官が公用車で戦没者慰霊顕彰施設の靖國神社を参拝しても、それは広く社会で過去一貫して行われてきたことじゃから、何ら問題視すべきではない。

安倍晋三元首相や小泉純一郎元首相も公用車で靖國神社に参拝しとるしな！　ほか、自衛隊では新品の戦車や戦闘機を使うとき「入魂式」という行事をして士気を高めるし、護衛艦の中には艦内神社といい航海の安全を祈願する場所がある。これは江戸時代に大坂から江戸に荷物を運ぶ船にもあった、日本の伝統じゃ。

ええか！　憲法とは伝統や慣習を否定するものではない。

むしろ逆じゃ！　憲法とは伝統や慣習を「最高の法」にする考え方なんじゃ！　じゃから、伝統や慣習に反するものが「憲法違反」となるわけじゃな。

これはアメリカやイギリスも同じじゃ。アメリカの銃規制がアメリカの憲法違反なのも、銃を持つ権利は、アメリカ建国時からの伝統であり慣習じゃからな！　それが憲法の基本的な概念なんじゃ。

日本の憲法学者とは、あくまで「日本国憲法」の専門家であり、「憲法学」としてはただの素人であることに注意が必要じゃ。憲法は慣習を否定して新たなルールを押し付けるものではない。すでにある慣習に法的正当性を与えるものじゃ！　勘違いすな！

ただ、合祀も神社参拝も、別の宗教を信じているため、嫌だと言う人に強制したり、不利益な処分をしてはならん。ただ、それだけじゃ。

祖国のために命を捧げられた方々に尊崇の念を持ち、感謝の気持ちを捧げることは、全世界共通の慣習であり伝統じゃ。否定することは許されない！　否定することが信教の自由を侵害する！

日本人としてのアイデンティティを大切にしような！

昔からツイッター（X）では、男vs.女、みたいな不毛な論争があるじゃろ。そこでワシの初恋の話とジェンダー論を語るけぇ、良かったら聞いてな。

まずなワシに言わせれば出産したことがない女は処女同然だし、公務で人殺しをしたことがない男は童貞同然じゃ。

ワシがイギリスに留学していたとき、寮を経営していたおばさんの息子が戦争から帰ってきたんじゃ。

当時のイギリスは戦時下でな、息子さんは敵の投げた爆弾の破片を肩や頬に受けてな、多分知らん人が多いと思うが、スコルツェニーSS中佐（1908年～1975年。ドイツの軍人、武装親衛隊隊員）みたいな顔しとったんで、ワシのフェチに刺さったんじゃ。ワシは、るろ剣の緋村剣心《ひむらけんしん》とか、顔に傷のある男が好きなんじゃ。話を聞いてみるとな、おばさんは貴族の妻で、アフガニスタンから帰ってきた息子は次男。彼は兄貴が爵位を相続するから平民になる予定で、つまらんから戦争に行くか、と思って士官学校に行ったというんじゃ。

イギリスはみんな知っての通り、貴族制度があって、優れた功績を立てた個人の一代貴族とな、先祖が立派だった世襲貴族がおる。

イギリスという国は、イングランドがほかの地域を併合してできた国なので、それぞれに貴族がおる。

イングランド貴族、スコットランド貴族、アイルランド貴族、これらの地域がまとまったあとのグレートブリテン貴族、そして現在のイギリスが成立した後に貴族になった連合王国貴族の5種がある。

上級貴族にはめちゃくちゃ金持ちがいるが、下級貴族だと、昔、王様からもらった土地に家を建てて普通にアパート経営をしていたりするんじゃな。

それでワシがメスっぽい顔して「どちらで戦われていたんですか？」と話しかけたら、こいつな、「母さーん！　また黄色を入れたの？　家がマスタードみたいな臭いがするよ！」とか、レイシズムかましたんじゃ。

ワシも負けずに「あら？　あなた、日本の私の家の山に住む猿と頭骨の形態が同じで可愛いわ。〝dolichocephaly（長頭症）〟という言葉はご存じ？」とか言い返したんじゃ。

「このレイシスト！」

「あなたがレイシスト！」

2人の出会いは最悪じゃった。

「俺のじいさんはアジアでマウントバッテンの指揮下で10人の日本人を撃ち殺してやった！」

「あら奇遇。私の曽祖父もインパールでイギリス人の戦車に爆弾をプレゼントして木っ端微塵にしてあげたわ」

同じ屋根の下で顔を合わせるたびに口論をしてな、でもある日、ワシが大学院から帰ると、夕方からジンをかっ喰らっていてな、戦地で散華《さんげ》された戦友の写真を見ながら泣いていてな。

本当は怖かったけど、撃たなきゃこちらがやられるから必死に撃ち返し、ずっと一緒だった友達が死んだ話をしてくれてな、ワシも心に傷を負った男に思わずキュンと来て、ソファの横に座って「日本ではこうするのよ」と言い、膝枕して日本から持ってきた竹製の耳かきで耳掃除してやったんじゃ。

そうしたら、打ち解けてな、翌週から、デートで大英博物館に行き、ドイツ軍のキングタイガー戦車を見たり、蝋人形館でヒトラーの横に立って写真撮ったりな、いろいろ楽しかったんじゃ。

しかも、普通なら身体の関係を求めてくるところなのに、相手は敬虔《けいけん》な清教徒じゃから、結婚までそう言うことはしないと決めていて、それはそれはピュアな交際じゃった。

ある日、「日本にはいつ帰るの」と聞かれたから「卒業したら帰るよ」と答えた。そうしたら、いきなり「結婚してほしい」と言われたんじゃ。

ハリーウィンストンの指輪なんかない。

戦場から持ち帰った手榴弾の安全ピンをワシの薬指にハメてな、「いまから指輪を買いに行こう」と言われたんじゃ。

そこで「嬉しい。早速日本に一緒に帰りましょう」とワシが言ったらな、「いや君がBlitish subject（連合王国臣民）になるんだ」……と言うんじゃ。

ワシが、

「いや。あなたが栄えある〝Japanese subject〟（皇国臣民）になるのよ」

「……」

「……」

「僕は日本語話せない」

「大丈夫。日本にはそんな人たくさんいる」

「少し考えさせてくれ」

「私も考えさせて」

そんなわけで話は流れてワシは日本に帰った。

この話のキモはな、しっかりと〝自分〟を持つということじゃ。

ぶつかっても、自分らしさとアイデンティティを大切にすれば分かり合えるという話じゃ。

いま日本で少子化しているのは、自分とは何かをみんな忘れているからじゃ。

みんな、自分がなぜ、いま存在するのか、振り返ってな！

共産主義、ＬＧＢＴ……人が頭で考えたことはロクでもないことばかり！

人類にはまだ解明していない自然の法則がたくさんあるじゃろ。宇宙、遺伝子、深海、人の精神、いろいろある。

でもこの４００年くらいの間、やけにその自然の法則を次々と発見しているような気がせんか？

保守主義の元祖とも言える「自然の法則」について解説するぞ。

いまから約４００年前に、１人の天才があることに気付いた。ベーコン子爵（１５６１年〜１６２６年。イギリス経験主義の祖）という。

それは、

「人類の浅知恵で考えたことはあまり人類の進歩に関係ない」

「それより人類が発見したことは人類社会を進歩させた。それは羅針盤、活版印刷技術、火薬が証明した」

というこことじゃ。

つまり、人はいろいろ考えるが、バカだから考えたことに意味はない、ということに気付いたんじゃ。確かに人が考えたことには、ロクでもないことが多いよな。共産主義、ジェンダーフリー、ＬＧＢＴ……など、意味がないどころか社会に損害を与えたものさえある。

しかし、人類が経験したことを忘れずに記録していけば、すごいことになる。水は何度で沸騰する？　沸騰したら液体から気体なる。気体は運動する。その運動はさまざまな物質を動かす動力に変換できる。

実は古代ギリシャでも中世イスラムでも、蒸気機関は発明されていたんじゃが、蒸気でクルクル回るおもちゃにしかならなかった。

しかし、イギリスには「経験を大切にする」という考え方があったため、蒸気を使い、炭鉱の地下水を自動で汲み上げて排水する装置をつくった。いままでは人力作業だったから、これができると人が別のことをできるようになった。

さらなる研究じゃ。こうして蒸気機関車や蒸気船が開発され、人類の移動能力は飛躍的に発展した。

「果たして蒸気の意味は？」とかアホな解釈する前に、蒸気をひたすら観察して自然の法則を把握せよ、ということじゃ。

ベーコンは引き続き、こんなことも書いている。それは、

「人間の精神も自然法則の一種であり、経験的に観察すれば支配できるようになる」

ということじゃ。

ベーコンがこう主張してから約350年後、人間の精神作用の大部分は神経伝達物質の作用だとわかり、トランキライザー（向精神薬）が開発された。今日では飲むだけで精神状態が変わる薬が普及している。

な！　経験の力はすごいじゃろ。

経験主義のイギリスが次々と新技術や新兵器をつくり、戦争に勝ちまくるのに対して、合理主義のドイツは戦争に負けまくりじゃろ。

差別だってそうじゃよ。ナチスのユダヤ人迫害って人間が考え出したものじゃろ。経験主義でユダヤ人を見たら、ワシらと同じホモサピエンスじゃ。そこに「考え出さ

れた評価」は不要じゃ。

そして、ここからがメイン。

この経験主義を政治に取り入れたのが保守主義じゃ。保守主義は、イギリスの下院議員、エドマンド・バーク（1729年〜1797年）がフランス革命を観察することで発展した。

フランス革命では、王と王妃をギロチンにかけて10歳の王子様と売春婦を交わらせて梅毒にさせ衰弱死させるという革新的なことをしたわけじゃが、その動機が、「考え出された政治思想」というわけじゃ。

いままで人類が「永遠の昨日」といって、昨日したことを今日も繰り返すということをして生きてきたのを否定したのがフランス革命の新思想じゃ。

まあ、ロクなことにならなかったのは教科書で習ったよな。たくさん人が死んで、王がいなくなったら結局ナポレオンの帝政じゃ。

だからワシは、革新的な人々がどうしてそう考えるのかという分析はしない。無意味じゃからな。

代わりに、胎児期や幼少期の栄養不足で発達に問題がなかったか、遺伝子にネアンデルタール人やデニソワ人が混じって人とは違う脳の構造はしていないかなど、科学的アプローチから分析する。それに対して連中が言えることは、人が考え出した定義を利用して「差別だ！」と叫ぶくらいじゃ。まるでジャングルの猿がキーキー叫ぶようにな。

みんなも、普通に生活していて学ぶことがあるじゃろ。やばいヤツはスーツにスニーカーとか不似合いな服装をしている場合が多いとか、他愛もない日常の情報を決して忘れずに、それらに基づいて「偏見」をつくり出すことが実は大切なんじゃ。偏見は保守主義にとって知の集合体じゃ。

対話できそうもない奴らと無理に対話を試みるのはバカじゃ。核抑止は対話ではなく、こちらも核を持ち相手の恐怖により平和を守るのが科学的な政治じゃ。

これから政治と社会は大きく変わる。そのとき、お主の経験を大切にな。

日本を「元の状態」に戻すんじゃ！

ワシはな、日本を「元の状態」に戻したいんじゃ。その参考になるエピソードがワシの故郷、広島県にあるから、それをお話しする。

1882年8月に、エドワード・モース（1838年～1925年）というアメリカ人動物学者が広島の旅館に泊まったんじゃ。

この人は明治政府に招かれてきたお雇い外国人で、縄文遺跡の大森貝塚（東京）を見つけた人としても有名じゃな。

それでな、モースが広島から1週間ほど山口県の方に行く用事があり、瀬戸内海を船で行くことになったんじゃが、木造船だったので、「もし沈没したら俺の時計がダメになるな」とモースは考えてな、いまの日本円で何百万円もする高級時計と、多額の旅費などが入った財布を広島の旅館の金庫に預けようと思ったんじゃ。

で、旅館の人に「金庫にこの貴重品を入れたい」と申し出ると、旅館の人はお盆を持ってきて、モースの時計と財布を乗せて、誰でも行き来できる紙と木でできた扉（ふすま）しかないモースの部屋に置いたんじゃ。

モースが「お前らふざけてんの？」とキレ気味に詰め寄ったんじゃが、旅館の人は「大丈夫。問題ないです」と言う。

マジかよ日本人……とモースは疑いながら出かけて、1週間後に戻ってきたとき、お盆の上のモースの財布と時計はそのまま置いてあったんじゃ。中身もそのままじゃ。

モースはえらく感激し、鍵も金庫もいらない「日本」を称え、日本人は生まれつき正直者なんだと大絶賛し、日記に書き残したんじゃな。

そういえば、ワシが小さな頃に死んだひいばあちゃんがな、「小さな頃、家に鍵なんかなかったのよ」と言っていたのを覚えている。

そう、日本には鍵がいらない時期と場所が確かにあったんじゃ。

でも、日本はその後、多民族国家になってな、いまは移民を入れてな、やっぱり鍵は必要になってしまった。

ワシが目指す政治目標はな、鍵や金庫がいらなかった「かつての日本」を取り戻すことなんじゃ。

橋本琴絵（はしもと ことえ）
昭和63年（1988）、広島県尾道市生まれ。平成23年（2011）、九州大学卒業。英バッキンガムシャー・ニュー大学院修了。広島県呉市竹原市豊田郡（江田島市東広島市三原市尾道市の一部）衆議院議員選出第5区より立候補。著書に『暴走するジェンダーフリー』『日本は核武装せよ！』（ワック）、ほかに『中等修身女子用』（解説／ハート出版）がある。

われ、正気《しょうき》か！

2024年２月26日　初版発行

著　者　橋本 琴絵

発行者　鈴木 隆一

発行所　ワック株式会社
東京都千代田区五番町 4-5　五番町コスモビル　〒102-0076
電話　03-5226-7622
http://web-wac.co.jp/

印刷製本　大日本印刷株式会社

ISBN978-4-89831-896-6